Robert Pageard

Littérature négro-africaine

Le mouvement littéraire contemporain dans l'Afrique Noire d'expression française.

2e édition augmentée

le livre africain 13, rue de Sèvres, Paris-6e.

L'auteur remercie MM. Robert Cornevin, Robert Delavignette, Raymond Mauny et Jean Suret-Canale des observations qu'ils ont bien voulu lui présenter à l'occasion de la première publication de cet ouvrage.

1. LE DEVELOPPEMENT HISTORIQUE.

1. Les auteurs africains à l'époque coloniale (1920-1946).

Les écrivains noirs originaires de ce qui était alors les colonies françaises d'Afrique ont été peu nombreux jusqu'à la seconde guerre mondiale. Cela s'explique notamment par trois faits : caractère récent de l'implantation administrative française (l'A.O.F. n'est constituée qu'en 1904, l'A.E.F. en 1910 seulement), difficulté d'assimiler une langue étrangère et exotique, lenteur de la scolarisation. Le taux de scolarisation dépassait rarement 10 % aux alentours de 1950, et il demeurait bien inférieur à ce chiffre dans les territoires intérieurs. La population globale de l'A.O.F., du Togo, de l'A.E.F. et du Cameroun était, rappelons-le, d'environ 25 millions d'habitants seulement. La faiblesse du taux de scolarisation se traduisait par la rareté des lycéens et des étudiants noirs venant poursuivre leur formation en France. En examinant cette époque, on remarque cependant que, si les instituteurs noirs demeurèrent en nombre insuffisant, ils furent du moins formés avec soin dans deux ou trois écoles normales de renom (William Ponty pour l'A.O.F. et Edouard Renart pour l'A.E.F.). Ils ont constitué la grande majorité des premiers dirigeants des nouvelles républiques ; quelques-uns d'entre eux ont laissé des écrits de valeur, qui seront mentionnés dans la suite de cet exposé.

Le Togo et le Cameroun, d'abord colonies allemandes, prirent de ce fait un certain retard dans l'acquisition de la culture française. Le Cameroun le rattrapera brillamment après 1950. Il est possible que ce conflit culturel initial se révèle fécond pour l'avenir littéraire de ces deux nations.

Jusqu'en 1939, les Africains n'eurent guère d'audience politique dans l'ensemble français. Les autochtones ne disposaient d'aucun siège de sénateur ; leur seul siège de député était celui des quatre communes de Saint-Louis, Dakar, Rufisque et Gorée. Ce privilège était la conséquence de l'avance culturelle du Sénégal, elle-même liée à l'histoire de la colonisation. Cette avance s'est maintenue ; comme on le verra, le Sénégal est, avec le Cameroun, le pays qui a donné à la littérature étudiée le plus grand nombre d'auteurs. Il faut savoir qu'au cours de la même période les Antilles et la Guyane étaient représentées dans les assemblées françaises par deux sénateurs et cinq députés. Ce fait s'explique lui aussi par la scolarisation et par l'ancienneté de la présence française ; les écrivains antillais (Aimé Césaire en tête) et guyanais (Damas) furent à la pointe des premiers combats pour un traitement égalitaire de l'homme noir. Moins impétueux, le Martiniquais René Maran (1887-1960, parents guyanais) paya courageusement de sa personne dans ce combat ; sa prose a profondément influencé la littérature négro-africaine ; il en sera plus longuement question ci-après.

Ce qui vient d'être dit de la situation politique et culturelle explique que le génie africain ait fait son entrée dans la littérature française grâce à des Européens de bonne volonté, exception faite toutefois de certains ouvrages tels que les *Esquisses sénégalaises* (Paris, Bertrand, 1853) de l'abbé Boilat, l'un des premiers prêtres africains.

La littérature orale africaine fut d'abord mise en valeur par des administrateurs, des enseignants, des voyageurs français. Dès 1828, le baron Roger publia des *Fables sénégalaises recueillies dans l'Ouolof*, mais ce fut après la formation du second empire colonial (1880-1900) que ce mouvement de divulgation prit un développement important. En 1903, René Basset publie des *Contes populaires d'Afrique*. Viennent ensuite les recueils de P.-L. Monteil (1905 : 46 pièces, dont 42 fables et contes), de Dupuis-Yakouba (1907-1909 : 14 légendes), de Lanrezac (*Essai sur le folklore du Soudan, Légendes soudanaises*), de Zeltner (1913 : 48 pièces, dont 17 légendes), d'Equilbecq (1913, *Contes indigènes de l'Ouest africain fran-*

çais, 3 volumes, 275 contes). Louis Tauxier, dans la partie culturelle de son livre : *Le Noir du Yatenga* (1917), donne 96 fables, 21 légendes, 15 contes, 3 devinettes, pour la seule population mossi qu'il étudie.

A propos de l'œuvre de François-Victor Equilbecq (1872-1917) Robert Cornevin a pu écrire dans la revue *France Eurafrique* (février 1967) : « En étudiant les travaux de cet homme cultivé et passionné pour les traditions africaines, on ne peut qu'admirer les sommets auxquels il est parvenu d'un seul coup ».

Dans le même temps, les arts plastiques, principalement la sculpture de l'Afrique Noire, attiraient l'attention de groupes artistiques français dynamiques. Dès 1906, Matisse, Vlaminck, Derain, Picasso faisaient connaître leur estime pour cet art exotique. L'action de Guillaume Apollinaire et du marchand de tableaux Paul Guillaume, qui publient en 1917 le *Premier Album de Sculptures nègres,* renforça ce mouvement. En 1927, Georges Hardy fait paraître un *Art nègre* apprécié et discuté. En 1930, les *Cahiers d'art* font appel à Frobenius pour leur numéro consacré à *L'Art africain* (n° 8-9, cinquième année de la revue).

Ces deux courants de curiosité pour les civilisations africaines — celui des rédacteurs de contes et celui des artistes parisiens — confluent pour donner l'*Anthologie nègre* de Blaise Cendrars, en 1921. Cette anthologie contient des légendes cosmogoniques, une série de textes groupés sous la rubrique « fétichisme » (sept sections), d'autres textes relatifs au totémisme, aux techniques, aux règles morales ; les contes fantastiques et humoristiques ne sont pas oubliés ; le recueil se termine par des devinettes, des fables, des chants et des contes modernes. Ce minutieux inventaire reste valable et, avec le recul du temps, il est permis d'affirmer que ce recueil, qui n'a jamais eu de prétentions créatrices, donne une juste idée de la littérature orale de l'Afrique Noire.

En 1922, Maurice Delafosse donne encore un recueil intéressant, *L'âme nègre.* « Je me suis astreint, écrit l'auteur, à ne glaner que parmi des productions populaires dont chaque échantillon ait été recueilli dans sa forme originale, et dans la langue maternelle du conteur, par quelqu'un connaissant parfaitement cette langue. J'ai rejeté délibérément tout récit dont nous ne possédons que la version en un idiome européen » (p. 12). Ces textes sont souvent d'une simplicité émouvante.

L'œuvre considérable de l'Allemand Léo Frobenius doit être mentionnée. Il conduisit neuf expéditions scientifiques en Afrique entre 1904 et 1930. La deuxième (1907-1909) intéressa l'Afrique de l'Ouest et la quatrième (1910-1912) la région du Tchad. Frobenius se passionna autant pour la littérature orale que pour les autres aspects de l'art africain. Son œuvre immense renferme notamment les titres suivants : *Le Décaméron noir* (sous-titré *Amour, humour et héroïsme dans l'Afrique intérieure*, 1910), *Contes du Soudan occidental* (t. VIII d'*Atlantis*, 1922), *Contes et poésies populaires du Soudan central* (t. IX d'*Atlantis*, 1926), *Poésies populaires de Haute-Guinée* (t. XI d'*Atlantis*, 1924). Une infime partie seulement de l'œuvre de Frobenius a touché le public de langue française à travers l'ouvrage *Histoire de la civilisation africaine* publié par Gallimard en 1937 et réédité en 1952. La troisième partie de cet ouvrage, intitulée *Poésie, l'essence particulière de l'Afrique*, reproduit fidèlement de nombreux récits locaux.

Pour en terminer avec le chapitre des « traductions » — dont l'intérêt est loin d'être dépassé — il est nécessaire de mentionner l'effort des ethnologues européens pour une plus juste compréhension de la vie africaine. Ils firent école, et ce n'est pas un hasard si d'excellents ethnologues africains se comptent parmi les écrivains noirs de la période 1920-1946.

L'ethnologie classique a fourni des textes vivants, tels ceux que Henri Labouret a insérés dans ses *Tribus du rameau lobi* (1931). C'est cependant avec Marcel Griaule et son équipe que la pensée noire originale fut pour la première fois exprimée sous une forme littéraire séduisante. La passion de la recherche, une observation amicale et patiente de la vie africaine villageoise caractérisent *Les Sao légendaires* (1943) et surtout *Dieu d'eau* (1947). Les chercheurs groupés autour de Griaule purent montrer que l'ensemble des actes de la vie quotidienne ou saisonnière d'un peuple africain donné correspond à une certaine conception du monde et à une certaine évolution mythique. L'époque du pittoresque superficiel prenait fin. Les œuvres capitales sont, pour les Dogons : *Masques dogons* (Griaule, 1938), *Les âmes des Dogons* (Germaine Diéterlen, 1941), *Les devises des Dogons* (Solange de Ganay, 1941). Pour les Bambaras, citons *Essai sur la religion bambara* (Germaine Diéterlen, P.U.F., 1951) et les travaux tout récents de Dominique Zahan, *Sociétés d'iniation bambara, La dialectique du verbe chez les Bambaras,* fruits de recherches entreprises au lendemain de la deuxième guerre mondiale. Tous ces travaux ont contribué à la naissance d'Humanités proprement africaines, et leur importance sera sans doute mieux sentie encore dans quelques années. Ils ont rendu impossible le mépris de l'Afrique ancienne par l'élite intelligent et sensible de toutes les nations.

Dans le cadre des investigations sur les Dogons, Déborah Lifchitz publia en 1940, dans la revue *Africa,* une étude sur *La littérature orale chez les Dogons du Soudan français,* qui fit connaître des traditions historiques, des contes et des proverbes.

Les enseignants africains ont participé de bonne heure au développement des études sur leur pays ; leurs travaux que l'on trouve notamment dans le *Bulletin de l'enseignement de l'A.O.F.* (devenu l'*Education africaine* en 1934), le *Bulletin du Comité d'études historiques et scientifiques de l'A.O.F.* (1916-1938), le *Bulletin de l'I.F.A.N.* (à partir de 1939), les *Notes africaines* (à partir de 1939) sont aujourd'hui précieux. Il faut souligner ici le nom de l'instituteur Mamby Sidibé, dont la production abondante mériterait d'être groupée et éditée ; ses premières monographies restent en particulier capitales pour l'étude de la Haute-Volta (*Monographie de Fada N'Gourma en* 1918-1919, *Monographie de la région de Banfora* en 1921-1923, *Contribution à l'étude de l'histoire et des coutumes des indigène de la région de Bobo-Dioulasso* en 1927) ; Mamby Sidibé a écrit ensuite de nombreuses études sur l'actuel Mali, notamment un important coutumier du cercle de Kita (1932). En consultant l'article de Roland Lebel, « Le mouvement intellectuel indigène », publié en 1931, on s'aperçoit que ce mouvement était constitué pour l'essentiel par les contributions de ces instituteurs : Lebel mentionne les noms d'Ahmadou N'Diaye Clédor, d'Ahmadou Mapaté Diagne, de Bendaoud Mademba, de Paul Hazoumé. D'autres enseignants se firent connaître plus tard, notamment Dominique Traoré et Ibrahim Ciré Ba, tous deux spécialistes des Bobos. L'œuvre de Dominique Traoré, qui s'est beaucoup intéressé aussi aux Bambaras, n'est pas entièrement publiée à ce jour : il est l'auteur d'une étude sur la pharmacopée africaine, fruit de longues années de labeur, et qu'a publiée Présence Africaine sous le titre *Médecine et magie africaines* (1965).

Epaulé par l'administrateur-écrivain Robert Arnaud, qui signa souvent Randau, Dim Delobsom a donné deux livres capitaux sur la société mossi : *L'empire du Mogho Naba* (1932) et *Les secrets des sorciers noirs* (1936), ce dernier livre ayant l'estime particulière de Senghor.

Le nom du Nigérien Boubou Hama (né en 1906) doit être mentionné ici. Il fait partie du groupe de ces instituteurs qui se firent un devoir de prendre des responsabilités politiques et les assumèrent jusqu'à ce jour avec succès. Il publia dès 1932, mais ses travaux demeurent en grande partie inédits ou dispersés dans des revues connues seulement des spécialistes. Sa « somme » autobiographique et idéologique, *Kotia Nima,* ronéotypée depuis 1956, n'est pas sans intérêt, mais nécessite un élagage et une refonte. Après 1960, Boubou Hama, devenu président de l'Assemblée Nationale de la République du Niger, nous a transmis une part importante de ses connaissances historiques dans deux gros ouvrages publiés par Présence Africaine, *Enquête sur les fondements et la genèse de l'unité africaine* (1966) et *Recherche sur l'Histoire des Touaregs sahariens et soudanais* (1967), intéressants par leur documentation et surtout par leurs apports directs mais qu'il serait utile de compléter par une bibliographie et une synthèse chronologique des sources.

Deux instituteurs retiennent particulièrement l'attention, car, après avoir produit des études sociologiques du type de celles qui viennent d'être mentionnées, ils ont abordé avec un plein succès la littérature créatrice. Leur forte personnalité honore la vieille génération : il s'agit de Paul Hazoumé et de Fily Dabo Sissoko.

Paul Hazoumé (né en 1890 au Dahomey) publia presque simultanément une importante étude ethnologique, *Le pacte de sang au*

Dahomey (1937) et son beau roman, *Doguicimi* (1938), dont la rédaction avait été achevée dès 1935. Cette œuvre sera présentée au chapitre du roman historique. Ce fut tout naturellement que Hazoumé prit place au côté de Senghor et d'Alioune Diop sur l'estrade présidentielle du Premier Congrès des écrivains et artistes noirs, qui se tint à la Sorbonne en 1956.

Fily Dabo Sissoko (1900-1964, Malien) a publié : *Crayons et portraits* (1935), *Harmakhis* (1955), *La savane rouge* (1962), *Poèmes de l'Afrique Noire* (1963, comprenant *Feux de brousse, Fleurs et chardons,* recueils apparemment inédits, et *Harmakhis* privé de quelques chants folkloriques et guerriers). Homme politique combatif et longtemps influent (de 1946 à 1957), orateur écouté, Fily Dabo Sissoko retiendra sans doute l'attention de la postérité. Il faut savoir qu'il a tracé avec une grande énergie d'irremplaçables portraits des hommes et des types d'hommes qu'il a croisés au cours d'une carrière qui fut longtemps banale. Son style, qui s'inspire des moralistes français du XVIIe et du XVIIIe siècle, est d'une concision frappante. Sa relative dureté est tempérée par une spiritualité de tendance panthéiste émanant de Renan et de l'Inde, à travers divers maîtres. Nul ne pourra faire l'histoire objective de la colonisation française en Afrique sans au moins avoir lu *Crayons et portraits* et *La savane rouge,* qui ne flattent personne. Ce dernier livre, mélange très nouveau d'autobiographie en versets, de citations de documents historiques, de mémorial, couvre la période 1900-1917. Qui sait si une suite n'en sera pas retrouvée. Chez Fily Dabo Sissoko, poèmes et prose ne font qu'un ; toutes ses œuvres contiennent des tableaux finement sentis de la vie matérielle et spirituelle en savane soudanaise. Cette finesse est le fruit d'un amour profond pour la terre natale et la sagesse de ses hommes simples ; cette sagesse domine finalement toutes les influences extérieures dans cette œuvre brève mais de qualité.

En 1955, Fily Dabo Sissoko a publié aussi un recueil de 500 sentences et proverbes Malinkés sous le titre *Sagesse noire.* Ces textes sont remarquables par leur vigueur et leur correction ; une réédition bilingue servirait éminemment l'éducation africaine.

Avant même la seconde guerre mondiale, des professeurs de lettres africains sont formés et commencent à écrire, publier, donner des causeries. Léopol Sédar Senghor (né en 1906) obtient le titre d'agrégé de l'Université en 1935, montrant ainsi qu'un Noir pouvait se placer à la tête de l'élite intellectuelle d'expression française ; dès ce moment, Senghor écrit d'émouvants poèmes, qui resteront une dizaine d'années dans ses papiers. L'analyse de la société négro-africaine, la défense de ses arts et de ses langues constituent les thèmes centraux de ses premiers exposés publics. Entre 1944 et 1947, il donne plusieurs articles au *Journal de la Société des Africanistes* sur la grammaire et la stylistique du wolof et du sérère. Maximilien Quenum (né à Cotonou en 1911), professeur de philosophie, a des préoccupations analogues ; ses premiers écrits sont des contributions à la connaissance de l'Afrique ancienne (1938 : *Au pays des Fons. Us et coutumes du Dahomey ;* 1946 : *Légendes africaines, Côte-d'Ivoire, Soudan, Dahomey*), mais son essai *Afrique Noire, rencontre avec l'occident* (1961) traite le problème de la conversion des valeurs traditionnelles et exprime le souhait de profonds changements sociaux.

D'autre part, la littérature et l'éloquence politiques prennent leur essor avec Blaise Diagne (élu député en 1914, décédé en 1934). Charles Cros a consacré un ouvrage à ce parlementaire : *La parole est à M. Blaise Diagne* (*Paris,* 1961).

Il est difficile de faire un roman par personne interposée. C'est pourquoi nous sommes d'accord avec nos prédécesseurs pour considérer que le *Force-Bonté* (1926) de Bakari Diallo ne peut être compté qu'avec réserve parmi les œuvres de la littérature négro-africaine. Son accent trop constamment flatteur ne convainc plus. Il s'agit d'une autobiographie recueillie avec une parfaite correction et dans une optique paternaliste sincère. Le manuscrit fut envoyé à Jean-Richard Bloch par Lucie Cousturier, et c'est ici le lieu de rappeler que, malgré un sentimentalisme discuté, cette femme fit beaucoup pour appuyer le préjugé favorable dont jouit l'homme noir parmi les Français ; *Des inconnus chez moi* (1920), *Mes inconnus chez eux* (1925) sont les pièces principales d'une œuvre courageuse et fouillée qui ressortit du reportage plus que de tout autre genre.

Lucie Cousturier, c'est le Noir vu de France en 1920. Au même moment, René Maran (1887-1960) écrit *Batouala* (prix Goncourt de 1921), Le Noir vu dans la colonie française de l'Oubangui-Chari. Le contraste est assez vif. Le moins qu'on puisse dire est que le respect n'est pas la qualité dominante du « commandant » que présente René Maran en quelques dialogues inoubliables. *Batouala, véritable roman nègre* — et surtout sa préface, réquisitoire documenté sur les méfaits du travail forcé — émeut les services gouvernementaux et provoque finalement la retraite anticipée et féconde de René Maran ; l'influence du style de l'œuvre nous paraît cependant tout aussi importante que ses répercussions administratives. Cette remarque s'applique également au *Livre de la brousse* (1934), qui relate la vie de l'Oubanguien Banda Kossi, avant la conquête, car l'œuvre narrative de Maran se caractérise par une grande constance de qualité. Maran a dépeint en termes personnels une atmosphère authentique qui se retrouvera dans de nombreux romans africains postérieurs ; il y a une brousse de style Maran, avec « la tenace odeur des terres chaudes », les bruits nocturnes, et quantité de détails pour lesquels l'écrivain a créé des mots nouveaux, ou employé des mots rares, par exemple « bruisselis », « éversé », « bombiller », etc. Il ne fait aucun doute que la douceur physique et la liberté linguistique des Antilles ont joué ici un rôle. D'autres hériteront de ce goût de la recherche, mais n'éviteront pas toujours la préciosité ou la cocasserie.

Dans *Hommage à René Maran* publié par Présence Africaine en 1965, Senghor a pu saluer en cet écrivain le véritable précurseur de la Négritude : « Il fut, en Francophonie, le premier que l'on somma de choisir entre l'Ecrivain français et l'Homme noir. Par *probité,* il fut le premier à refuser de choisir : à choisir d'assumer intégralement, et en même temps, les responsabilités de l'un et de l'autre ». Cet *Hommage* contient d'intéressants témoignages (souvent accompagnés de lettres), des extraits de Journal (1940-1945), une bibliographie. La belle enquête de Manoel Gahisto, ami de Maran, sur « La genèse de Batouala » est du plus grand intérêt. Le roman fut écrit en six années (1913-1919), constamment retouché jusqu'au Prix Goncourt, et retravaillé ultérieurement (jusqu'en 1938). On ne saurait trop recommander la lecture de cette enquête aux jeunes Africains désireux d'écrire.

On constate donc que le premier après-guerre (1920-1922) se marque par une sorte de flambée négrophile dans les Arts et les Lettres : *Des inconnus chez moi, Batouala, Anthologie nègre, L'âme nègre,* apogée de l'estime pour l'art « nègre ». Le même phénomène se produira dans le second après-guerre, entre 1945 et 1948, mais le mouvement sera cette fois dirigé par des Noirs eux-mêmes : il marquera la naissance de la littérature artistique négro-africaine proprement dite. Le rôle joué par les colonies africaines dans les deux guerres explique sans doute en grande partie cette coïncidence.

En ce qui concerne les années 20, il ne nous paraît pas inutile de noter que ni les œuvres personnelles de Lucie Cousturier, ni celles de René Maran, ni même *La randonnée de Samba Diouf,* de Jérôme et Jean Tharaud (1922), ne présentaient le colonisateur européen sous un jour idyllique. Le voyage d'André Gide en Afriqque équatoriale (*Voyage au Congo,* 1927; *Retour au Tchad,* 1928) fut à l'origine d'une action politique qui renforça une campagne déjà ancienne contre le régime des grandes concessions et aboutit à son abolition. La présence d'un mouvement négrophile objectif en France sera un atout pour les futurs bâtisseurs de la négritude.

Il serait injuste d'omettre le nom d'André Demaison (décédé en 1956) dans ce mouvement. Ecrivain fluide, au style vigoureux, il contribua, plus que quiconque, à la présence de l'Afrique Noire dans les bibliothèques françaises entre les deux guerres. On trouve, certes, dans les écrits de Demaison une confiance en soi un peu irritante et des jugements excessivement pessimistes sur ce qui fut ultérieurement appelé la négritude. La sincérité et le désir d'équité de cet auteur, de même que sa participation à la vie du monde noir, permettent de conclure que le racisme que l'on pourrait lui reprocher est plus apparent que réel. On n'oubliera pas qu'il a excellement écrit *Diaeli, le livre de la sagesse noire* (1931) et que le dernier paragraphe de *La vie des Noirs d'Afrique* (1936) dit ceci :

« Ces Noirs, j'ai vécu parmi eux pendant douze ans, j'ai parcouru en tous sens leur continent pendant deux ans, ils se sont battus sous mes yeux pendant la guerre. En maintes occasions, j'ai pu me rendre compte qu'ils avaient le véritable sens de l'honneur. Cette fréquentation à longueur de jours, de mois et d'années, m'a permis de les aimer, de rectifier à leur sujet une foule d'erreurs, de jeter la lumière à travers l'obscurité de l'enseignement d'autrefois, de dissiper des niaiseries aussi persistantes que lamentables. Je serai pleinement heureux si j'ai donné dans ce livre un sentiment de ce qu'ils sont et une idée de leur vie, si j'ai provoqué aussi la sympathie pour ces peuples d'Afrique à la fois si anciens et si jeunes. »

En même temps que Paul Hazoumé achevait *Doguicimi*, Ousmane Socé Diop écrivait les dernières lignes de *Karim, roman sénégalais*, en janvier 1935. Il créait ainsi le roman urbain autochtone. Nous dirons quelques mots de *Karim* au chapitre du roman social. Dans ses *Contes et légendes d'Afrique Noire* (1942), on retrouve le même souci de confrontation entre la société noire traditionnelle, dans laquelle domine le sentiment de l'honneur et la société noire moderne, menacée par l'argent, c'est-à-dire par un matérialisme sans horizons. En 1937, Ousmane Socé Diop publia un roman un peu gauche mais émouvant, *Mirage de Paris* (suivi de *Rythmes du kalam*) ; ce roman ouvre la série des ouvrages exotiques, consacrés à la vie du Noir expatrié, qui se heurte au douloureux anonymat né de la révolution industrielle et aux préjugés de la société bourgeoise.

Signalons au passage le rôle de Robert Delavignette, qui préfaça *Karim* et donna en décembre 1945, à la revue *La Nef*, une étude sur *L'accent africain dans les Lettres françaises* (*de Bakari Diallo à Léopold Sédar Senghor*).

Le théâtre n'a pas été complètement négligé avant 1945. En 1928, Henri Labouret et Moussa Travélé (auteur de *Proverbes et contes bambaras*, publiés en bilingue, qui servirent beaucoup pour l'enseignement) avaient signalé l'existence d'un théâtre bambara original dans un article de la revue *Africa*, *Le théâtre mandingue* (*Soudan français*). L'exposé portait sur le ballet d'ouverture, *koté don*, le prologue, la présentation de la troupe, les différentes comédies jouées, les marionnettes des villages somono. Tel est bien le théâtre populaire africain, le seul qui, de nos jours encore, mette les spectateurs à l'aise. Plusieurs fois directeur de l'enseignement au Sénégal, directeur de l'Ecole normale William-Ponty de 1939 à 1945, Charles Béart (1895-1964) développa le théâtre scolaire. Des essais d'art dramatique assez suivis eurent lieu dans le cadre de l'Ecole ; le Dahoméen Alexandre P. Adandé paraît en avoir été l'un des animateurs ; il fit part de son expérience dans l'article « Le théâtre dahoméen. Les auteurs-acteurs de l'école William-Ponty » (*Outre-Mer,* 1937), où l'on retrouve une étude incisive de Bernard Maupoil et la réponse d'Adandé (pp. 301-321). Maupoil avait écrit : « ... la pensée dahoméenne, si délicate et presque toujours si subtile, n'y (dans ce théâtre) offre d'elle-même qu'une caricature. Il y a là un échec dont il importe de retenir la leçon. » Cette remarque dépasse le cadre géographique dahoméen et nous paraît s'appliquer aux essais réalisés jusqu'à ce jour : il existe un problème du drame et un problème des nuances en Afrique Noire.

La période 1920-1945 accuse une grande faiblesse en raison de l'absence de revues dirigées par des Africains. Dans son article de 1931, Roland Lebel signale une éphémère *Revue africaine* (1925), qui publia notamment un petit roman de mœurs locales, œuvre de Massyla Diop. *L'étudiant noir,* dont Mme Kesteloot a cité des extraits, paraît n'avoir pas eu une audience considérable malgré la qualité de ses collaborateurs ; l'historien cité le place « vers 1934 » (p. 91 de *Les écrivains noirs de langue française*).

Une remarque d'ordre général domine l'histoire de la littérature noire d'expression française au Congo Belge. La scolarisation primaire, dont le taux passa de 12 % en 1934 à 56 % en 1959, demeura très longtemps l'œuvre exclusive des missions chrétiennes. Mues à la fois par des motifs d'ordre pratique et par des considérations tenant à leur vocation spirituelle, les missions s'orientèrent vers un enseignement donné dans la langue locale ou dans une langue africaine véhiculaire. Dans son *Histoire du Congo-Léo,* Robert Cornevin signale que la première école officielle laïque avec programme métropolitain ne fut ouverte au Congo qu'en 1940 et que les jeunes Congolais n'y eurent accès qu'après 1945. L'acquisition des langues européennes par la population autochtone prit donc un certain retard. Une élite put néanmoins s'exprimer assez tôt en français et apporter sa contribution aux revues spécialisées ; c'est ainsi que le Congolais Roger-Antoine Bolamba (né en 1909) et le Rwandais Alexis Kagame (né en 1912) firent connaître leur nom dès 1935 en publiant des études ethnologiques et des textes littéraires de thème local dans des revues belges. La Bibliothèque de l'Etoile, créée à Leverville en 1943 et installée aujourd'hui à Kinshasa, combina avec succès les publications en langue européenne et en langues africaines.

Sur le plan littéraire, le drame du Congo-Léo risque de desservir gravement l'enseignement des langues vernaculaires. Nous pensons qu'il faut cependant se garder de tirer de cette situation des conclusions prématurées. Il est possible que, passé la crise politique de l'accession à l'indépendance, la société noire du Congo, comme celle de l'Afrique du Sud, manifeste une santé d'esprit que lui envieront les autres Etats francophones. Il semble qu'un équilibre soit partout à rechercher entre la culture intime et personnelle — qui passe par la langue maternelle — et la culture instrumentale, qui suppose, elle, l'acquisition précoce d'une ou deux langues mondialement employées.

L'œuvre considérable que les ethnologues et linguistes belges ont produite sur le Congo devrait elle aussi servir à un démarrage scientifiquement conduit de ce grand ensemble indépendant.

Il est impossible de quitter l'Afrique Equatoriale sans rendre hommage à l'œuvre de l'abbé gabonais André Raponda Walker, qui se fit connaître, avant 1940, par des notes publiées dans le *Journal de la Société des Africanistes ;* fort âgé, il a donné récemment des *Notes d'histoire du Gabon* (Mémoire de l'Institut d'Etudes centrafricaines), un ouvrage sur les *Plantes utiles du Gabon* (Lechevalier, 1961) et des essais intitulés *Rites et croyances des peuples du Gabon* (Présence Africaine, 1963). Ces ouvrages sont très estimés ; les deux derniers ont été faits en collaboration avec Roger Sillans.

2. L'époque de l'Union française et de la loi-cadre (1946-1958).

Dès 1946, une évolution importante se marque dans les rapports de la France avec ses anciennes colonies. Cette évolution n'est pas aussi radicale que le souhaiteraient les dirigeants africains ; une certaine autonomie de gestion, comparable avec celle qu'instituera la loi-cadre, était désirée, notamment par Senghor. Les idées dominantes de la Constitution de 1946 sont l'unité plutôt que la fédération, l'assimilation plutôt que l'association. Il n'y a en somme rien de bien changé dans l'orientation générale de la politique française, mais celle-ci est appliquée avec beaucoup plus de conviction, car des interlocuteurs valables existent maintenant en assez grand nombre du côté africain. Cela se marque sur le plan législatif par l'augmentation des effectifs de la représentation africaine dans les différentes assemblée métropolitaines : 83 députés, dont 32 Africains (sur 627), et 65 sénateurs, dont 33 Africains (sur 300), représentent les pays qui composent la France d'Outre-Mer ; 100 conseillers (dont 40 Africains) de l'Union française représentent l'Outre-Mer à l'Assemblée de l'Union française qui siège à Versailles. Cet accroissement du nombre des hommes politiques africains vivant en France aura une influence sur la litérature ; dans leur famille, la jeunesse trouvera en eux un point d'appui pour poursuivre des études fructueuses en Europe et assimiler parfaitement la langue. Certains Africains seront distingués par les Assemblées françaises, tel le Soudanais Mamadou Konaté, qui sera vice-président de l'Assemblée nationale. Après 1954, plusieurs gouvernements français comprennent des ministres africains (Senghor, Houphouët-Boigny, Modibo Keita, Hamadoun Dicko entre autres). Sur le plan local, la Constitution de 1956 fit naître les assemblées territoriales et les « Grands Conseils » de Dakar et de Brazzaville, autres écoles de gouvernement et autres occasions de progrès culturel.

Autres progrès de l'assimilation bien comprise : dès 1946, des tribunaux présidés par des magistrats appliquent le Code pénal français aux Africains ; le Code du travail des Territoires d'Outre-Mer du 15 décembre 1952 vient réglementer les rapports entre employeurs et travailleurs, en même temps qu'il crée les tribunaux du travail et donne un nouvel essor au syndicalisme. Quelques syndicalistes (Sékou Touré, Ousmane Sembène) ont exercé une influence sur le mouvement littéraire.

L'enseignement a beaucoup bénéficié de l'idéologie de l'Union française ; de 1951 à 1957, les effectifs de l'enseignement primaire passent de 450.000 à 900.000 écoliers, ceux de l'enseignement secondaire de 8.000 à 25.000 lycéens et collégiens (A.O.F., A.E.F., Togo et Cameroun réunis). Il est vrai que les effectifs européens sont compris dans ces données. Le nombre des étudiants africains, dont la grande majorité fréquentait les universités françaises, était de 2.800 environ en 1957.

Une certaine autonomie de gestion apparaît avec la loi-cadre du 25 juin 1956, d'inspiration socialiste. Les décrets d'application datent de 1957 ; le plus important, celui du 4 avril 1957, réorganisa l'A.O.F. et l'A.E.F. La date importante sur le plan africain fut plutôt celle du 31 mars 1957, date des élections aux nouvelles assemblées territoriales. Les conseils de gouvernement ultérieurs furent issus de ces assemblées, et les équipes mises en place à cette époque ont longtemps conservé le pouvoir.

La guerre d'Algérie provoque, en mai 1958, la chute de la quatrième République. En septembre 1958, les territoires d'Outre-Mer sont invités à opter entre l'indépendance et divers statuts dont celui de membre autonome de la Communauté française.

Cette période est très féconde sur le plan litéraire. Deux générations se distinguent : celle de 1906-1910, qui s'est formée avant la guerre (Senghor et Birago Diop, nés en 1906 ; Malonga, né en

1907 ; Alioune Diop, Abdoulaye Sadji et Mamadou Dia, nés en 1910, suivis par leur cadet Bernard Dadié, né en 1916), et celle de 1928, qui se forme dans l'immédiat après-guerre (David Diop, né en 1927 ; Camara Laye, Cheikh Hamidou Kane, Olympe Bhêly-Quénum, nés tous trois en 1928 ; Albert Tevoedjre, Ferdinand Oyono, Tchicaya Gérald U'Tamsi, nés en 1929). Bien que publiant entre 1954 et 1958, Mongo Beti est un cadet de la génération de 1928 : il est né en 1932. L'essor de 1947, avec la fondation de Présence Africaine, est l'œuvre coordonnée de la première génération : la génération de 1928 paraît plus individualiste, son art plus varié et plus personnel. Peut-être y a-t-il lieu de distinguer un groupe intermédiaire, qui, formé pendant la guerre, manifesta une combativité particulière : pourraient le composer Kéita Fodéba (né en 1921), Sékou Touré (né en 1922), Ousmane Sembène et le théoricien Cheikh Anta Diop (nés en 1923), parmi d'autres.

Le grand mouvement commence en 1945, avec *Chants d'ombre*, le premier recueil poétique de Senghor, édité au Seuil, mais l'année 1947 est la plus féconde, avec la publication de deux anthologies et le lancement de *Présence Africaine*.

L'anthologie de Léon Gontran Damas, *Poètes d'expression française*, également au Seuil (1947), reprend quelques pièces de *Chants d'ombre* et présente Birago Diop comme poète ; il s'agit de quelques poèmes de *Leurres et lueurs*, dont certains seront améliorés quand ce recueil verra le jour (1960). A travers les cent pages consacrées à l'Afrique Noire dans l'anthologie *Les plus beaux écrits de l'Union française et du Maghreb* (1947, « La Colombe »), Senghor donne un magistral aperçu de la littérature écrite ancienne (donc rédigée en arabe), de la littérature orale et de la littérature écrite nouvelle. C'est ici le lieu de reproduire quelques lignes consacrées à la littérature nouvelle, car elles complètent nos propres remarques. Après avoir rendu hommage à Georges Hardy, « qui présida à la naissance de l'Ecole normale des instituteurs William-Ponty et qui lui insuffla un esprit africain », Senghor écrit : « ... notre littérature nouvelle est une littérature d'instituteurs et elle est plus scientifique en un sens que littéraire. A y réfléchir, elle suit la bonne voie, car les études philosophiques et ethnographiques sont à l'origine de toute renaissance. Depuis 1916 donc, les meilleurs de nos instituteurs ont, à côté de l'élite sortie des écoles des fils de chefs, écrit modestement des travaux remarqués, des monographies que les africanistes se plaisent à citer pour leur probité intellectuelle et la solidité de leur documentation. Les plus connus sont : Dim Delobsom en Côte-d'Ivoire ; au Dahomey, Paul Hazoumé et Maximilien Quenum ; Mapaté Diagne et Abdou Salam Kane au Sénégal ; Mamby Sidibé et Moussa Travélé au Soudan. » (P. 233.) Suivent des extraits de Maximilien Quenum, de Dim Delobsom, de Paul Hazoumé (*Doguicimi*), et une présentation de Birago Diop, considéré comme conteur. Notons que c'est au cours de cette même année 1947 que Présence Africaine édite *Les contes d'Amadou Koumba*. Cette anthologie, qui n'oublie pas « le théâtre des Normaliens », présente la particularité d'accueillir fraternellement les Antillais (Maran, Damas, Césaire) sous la rubrique « Afrique Noire » ; Senghor y publie pour la première fois son beau poème *Une main de lumière a caressé mes paupières de nuit*.

L'anthologie de Damas, fort importante, dont le texte d'introduction pour l'Afrique Noire a été repris par Senghor dans son recueil *Liberté I* (*La civilisation négro-africaine*), fit moins de bruit que l'*Anthologie de la nouvelle poésie nègre et malgache de langue française* (*P.U.F.*, 1948), qui contient déjà des titres d'*Ethiopiques* et de *Chants pour Naett*. Birago Diop est ici présenté comme poète, à côté de Senghor, auteur de l'anthologie, qui se fait introduire par Aimé Patri ; le troisième poète africain cité était David Diop, âgé de 20 ans, dont l'impatience faisait contraste avec la sagesse vigilante de ses deux aînés. La préface de l'Anthologie était constituée par le célèbre *Orphée noir*, de Sartre, qui examinait le sentiment de négritude, mot lancé depuis 1932-1934.

A partir de 1947, Présence Africaine, mouvement dirigé par Alioune Diop, a formé l'axe du mouvement littéraire négro-africain d'expression française, et cela par sa revue, par sa maison d'éditions et par sa librairie. La revue elle-même connut trois périodes : la période de la première série (novembre 1947-décembre 1949 : 7 livraisons), critique et centrée sur la définition de la négritude ; la période des excellents numéros spéciaux (*Le monde noir, L'art nègre, Haïti, poètes noirs, Le travail en Afrique Noire, Les étudiants noirs parlent, Hommage à Jacques Richard-Molard, Trois écrivains noirs*) ; puis la nouvelle série bimestrielle, à partir d'avril 1955, résolument constructive. Redevenue trimestrielle, *Présence Africaine* a fêté avec éclat ses vingt années d'existence en 1967. Elle a pour sous-titre *Revue culturelle du monde noir* ; sa vocation internationale s'est affirmée dans de nombreuses pages consacrées aux Antilles, aux U.S.A., aux pays de l'Afrique anglophone et aux territoires portugais. Cette vocation se trouva confirmée par le succès du Congrès des écrivains et artistes noirs réuni à la Sorbonne, sous l'égide de *Présence Africaine*, en septembre 1956.

La revue et la maison d'édition s'intéressent à tous les domaines de la vie africaine. Elles ont fait connaître :

— des théoriciens, comme Abdoulaye Ly, Mamadou Dia, Majhemout Diop ;

— des historiens, comme Cheikh Anta Diop, Djibril Tamsir Niane, Engelbert Mveng ;

— des dirigeants politiques, comme Sékou Touré, Senghor, N'Krumah ;

— des romanciers, comme Mongo Beti (lancé à 21 ans par *Ville cruelle* sous le pseudonyme d'Eza Boto) et Abdoulaye Sadji (le début de *Nini* figurait dans le premier numéro de la revue), Mamadou Gologo ; mais on constate une certaine faiblesse dans ce domaine ;

— des chroniqueurs, comme Malonga, Nazi Boni et Ikellé-Matiba ;

— des conteurs, comme Birago Diop et Bernard Dadié, deux figures prestigieuses et fidèles, Benjamin Matip, Joseph Brahim Séid ;

— par prédilection des poètes édités en plaquettes, comme David Diop, Bolamba, Joseph Miézan Bognini, Yondo, Lamine Diakhaté, Malick Fall, Tchicaya ;

— des auteurs dramatiques, comme Seydou Badian et Charles Nokan.

C'est également en 1947 que fut fondé l'hebdomadaire catholique *Afrique Nouvelle,* à Dakar. Il s'agit d'un organe d'information générale qui analyse toujours les événements culturels importants (colloques, congrès, publications). Il a une colonne de prose littéraire qui donne en livraison des romans, des contes, des nouvelles. Son aspect le plus original est sans doute constitué par ses *Commentaires libres,* dans lesquels brilla Simon Kiba. *Afrique Nouvelle* a permis à de nombreux universitaires de s'exprimer : c'est dans ses pages qu'il faut chercher certains des meilleurs textes du professeur agrégé Joseph Ki-Zerbo.

En 1947, alors que « Présence Africaine » est sur le point d'être lancée, Emmanuel Mounier visite l'A.O.F. Il laissera, en 1948, dans son ouvrage *L'éveil de l'Afrique Noire,* un excellent témoignage sur la situation des territoires traversés et sur les problèmes qui se posent aux élites africaines. On trouve, aux pages 15 à 17 de ce livre, une présentation des intellectuels noirs qui fondèrent « Présence Africaine » ainsi qu'un exposé sur la négritude, ou plus exactement sur les sentiments du Noir, recueilli par Mounier de la bouche d'Alioune Diop. Un tel livre, plein d'idées généreuses et équilibrées, était bien fait pour favoriser l'essor culturel africain.

Dans une ligne politique différente, caractérisée par une protestation plus vive, certains écrivains noirs, appartenant souvent au Rassemblement Démocratique Africain (R.D.A., fondé en 1947 à Abidjan), fournissent des textes pour une anthologie qui est publiée dans le numéro spécial de la revue *Europe* consacré à l'Afrique Noire en mai-juin 1949. Sauf erreur, cette anthologie comportait des œuvres de Kéita Fodéba, Bernard Dadié, Ray Autra, Ba Thierno, Jean Malonga, etc.

Après 1950, quelques périodiques illustrés ont vu le jour. Ousmane Socé (né en 1911), auteur de *Karim* et de *Mirages de Paris,* a fondé *Bingo,* à Dakar, en 1953. Ce mensuel donna une bonne idée de la vie de l'Afrique lettrée, prise dans son extension la plus large. Il accueillit des contes et des poèmes.

Un mensuel illustré à prétention plus élevée fut publié à Paris de janvier 1957 à 1959, *Afrique en marche*. Son directeur fut Diop Obeye, puis Mamba Sano, auteur de nombreux contes insérés dans la revue. Amadou Hampaté Ba y tint une intéressante rubrique d'*Archives africaines* ; la consultation de la collection d'*Afrique en marche* est actuellement indispensable à la connaissance de cet auteur malien, dont la finesse d'esprit est réputée. Lamine Diakhaté fut le critique littéraire assidu d'*Afrique en marche*.

Fondé sous l'impulsion du haut-commissaire Bernard Cornut-Gentille, *Traits d'Union*, organe de liaison des centres culturels d'A.O.F., permit à nombre d'écrivains noirs de brousse de se faire connaître. Les fables en prose, les légendes, les pièces de théâtre, les petites monographie ethnologiques publiées ne manquent souvent pas de charme et sont toujours instructives. Le Voltaïque Lompolo Koné, lui-même auteur dramatique, fut le directeur compétent de *Traits d'Union*.

Jusqu'en 1953, l'édition parisienne paraît assez timide dans le soutien apporté aux écrivains africains. Le Seuil, éditeur de Senghor, est un précurseur, de même que Seghers, qui aide efficacement les poètes ; les cahiers bimensuels Pierre Seghers accueilleront notamment *Les chants pour Naett*, de Senghor (1949), les *Poèmes africains*, de Kéita Fodéba (1950), *Premier chant du départ*, de Martial Sinda (1955), *La ronde des jours*, de Bernard B. Dadié (1956).

La génération de 1928 publie en ordre dispersé chez plusieurs éditeurs parisiens, dont l'intérêt s'éveille à partir de 1953. Plon, paraît avoir donné le branle, avec *L'enfant noir*, de Camara Laye, publié cette année-là ; ce sera l'un des romans africains les plus lus. L'année suivante, Plon publie *Le regard du roi*, du même Camara, œuvre plus difficile mais aussi plus attachante. Julliard adopte Ferdinand Oyono et publie coup sur coup, en 1956, le cinglant *Une vie de boy* et *Le vieux nègre et la médaille*, un chef-d'œuvre de réalisme, de tendresse et d'humour. C'est en 1956 encore que Robert Laffont accueille le chef-d'œuvre de Mongo Beti, *Le pauvre Christ de Bomba* ; que Seghers publie, à titre assez exceptionnel semble-t-il, le roman à tendance autobiographique de Bernard Dadié, *Climbié* ; que Debresse édite, assez mal, le discutable et fort critiqué *Docker noir*, d'Ousmane Sembène, qui, par la suite, réussira mieux à éviter le mélodrame ; *O pays, mon beau peuple*, du même auteur, que diffuse « Le livre contemporain » l'année suivante, est déjà bien supérieur. En 1957, Mongo Beti passe chez Buchet-Chastel-Corréa et publie deux romans objectifs, pleins d'un humour apprécié, sur le conflit modernisme-tradition au Cameroun méridional : *Mission terminée* et *Le roi miraculé*.

Dans ce mouvement, à dominante romanesque et satirique, les étudiants se distinguent et manifestent une certaine indépendance vis-à-vis de leurs aînés. Leur maîtrise de la langue est totale.

L'après-guerre se marque au Congo belge par un progrès lent mais notable de l'accès des autochtones aux responsabilités publiques et à la culture européenne. En 1954, les Congolais accèdent à l'enseignement supérieur dispensé par l'université Lovanium. En 1956, Thomas Kanza est le premier universitaire congolais à achever ses études supérieures : il obtient une licence de psychologie pédagogique à l'université de Louvain. La même année, l'université d'Elizabethville est ouverte. Mouvement bien restreint, cependant. Robert Cornevin a pu écrire : « Au 30 juin 1960, il n'y avait qu'une demi-douzaine de licenciés congolais en sciences diplomatiques, psychologiques ou sociales. Il n'y avait pas un seul médecin, pas un seul ingénieur, pas un seul juriste. » (*Histoire du Congo-Léo*, p. 231.) Un certain mouvement politique autochtone commence en 1950, avec la fondation de l'Abako ; le bruyant manifeste de *Conscience africaine* est de 1956 ; les décrets de 1957 sur les villes congolaises et les circonscriptions indigènes font accéder les Congolais à la gestion démocratique des collectivités locales, mais de façon timide.

Les faits marquants de l'activité littéraire congolaise pendant cette période paraissent avoir été : 1° l'essor des revues locales, telles *La Voix du Congolais*, *Lettres congolaises* (1945), *Conscience congolaise* et *Congo* (1956-1957) ; 2° divers concours littéraires. De 1948 à 1950, les concours organisés par G.-A. Deny dans le cadre de la Foire coloniale annuelle de Bruxelles mirent en vedette Lomami Tshibamba, Maurice Kasongo, Naigiziki, Antoine-Roger Bolamba. En 1954, l'Union africaine des Arts et des Lettres organisa également un concours.

Trois noms se détachent parmi les écrivains qui publient : ceux de l'abbé Alexis Kagame (né en 1912), d'Antoine-Roger Bolamba (né en 1909) et de Naigiziki (né en 1915). Outre d'importants mémoires d'éthnologie juridique, Kagame fait paraître trois études sur la spiritualité bantou : *La divine pastorale* (1951), *La naissance de l'Univers, deuxième veillée de la divine pastorale* (1955), *La philosophie banturwandaise de l'être* (1956). En 1955, Bolamba donne à « Présence Africaine » *Esanzo,* un recueil de poèmes préfacé par Senghor. Naigiziki (J.-S.) se fit connaître par *L'escapade rwandaise,* récit en partie autobiographique couronné par le jury de la Foire de Bruxelles ; *Mes transes à 30 ans, de mal en pis; histoire vécue mêlée de roman* (1955) n'a pas reçu l'approbation de la critique européenne académique. Cette critique, qui paraît dominante en Belgique, fait passer les qualités de forme avant toutes les autres. C'est son devoir, et on ne saurait le lui reprocher. Etant donné ce que l'on sait du retard apporté à la formation des Congolais dans le domaine de la langue française, une telle critique ne peut cependant que faire le désert. Il aurait fallu sans doute plus de générosité venant d'autres milieux pour permettre aux Congolais de s'exprimer personnellement, même au prix de quelques gaucheries. Dans la littérature ouest-africaine, l'exemple d'Ousmane Sembène montre que les possibilités de perfectionnement de certaines personnes douées sont grandes, même après 30 ans.

3. L'époque des indépendances nationales (depuis 1958).

Entre les années 1957 et 1960, la plupart des peuples africains ont retrouvé dans la paix la liberté qu'ils avaient perdue au XIXe siècle. Ce mouvement a été quasi général dans l'Afrique de l'Ouest.

Par l'option faite au référendum du 28 septembre 1958, les territoires d'Outre-Mer de l'Union française s'érigèrent en Etats, soit dans le cadre d'une Communauté d'expression française nouvellement créée (Etat du Sénégal, République Islamique de Mauritanie, République Soudanaise, République de Côte-d'Ivoire, République du Dahomey, République de Haute-Volta, République du Niger, République du Tchad, République Centre-Africaine, République Gabonaise, République du Congo, République Malgache), soit sur le plan international (République de Guinée).

En 1960, enfin, tous les Etats de la Communauté d'expression française ont accédé à la pleine souveraineté internationale, en continuant à collaborer plus ou moins étroitement avec la France. Celle-ci leur apporte une assistance technique dont le statut est spécial. Les Républiques du Togo et du Cameroun, devenues indépendantes respectivement en avril et janvier 1960, bénéficient également de cette assistance. Celle-ci fournit notamment 4.000 professeurs.

L'enseignement supérieur, dispensé sur place, s'est développé. En 1968 le nombre des étudiants est supérieur à 3.000 pour l'université de Dakar, à 2.000 pour l'université d'Abidjan, à 1.500 pour l'université de Yaoundé et 600 pour celle de Brazzaville. En France,

7.000 étudiants noirs suivaient un enseignement en 1966 : 4.000 d'entre eux bénéficiaient de bourses diverses.

Les effectifs scolaires sont passés entre 1957 et 1963, pour les pays d'Afrique occidentale et d'Afrique équatoriale réunis :

— de 900.000 à 1.800.000 écoliers environ pour l'enseignement primaire ;

— de 25.000 à 60.000 lycéens environ pour l'enseignement secondaire.

Le nombre des bacheliers a crû de façon considérable au cours de la période 1960-1964. Pour les pays d'Afrique Centrale francophone, on note, par exemple, les chiffres suivants en ce qui concerne les lycéens reçus à la deuxième partie du baccalauréat : 22 contre 1 en République Centrafricaine, 13 contre 4 au Tchad, 31 contre 17 au Gabon, 121 contre 91 au Cameroun.

Le Congo belge devint lui aussi indépendant le 30 juin 1960, mais dans des conditions de fait qui imposaient le maintien d'un puissant encadrement étranger. La préparation psychologique des différents peuples qui constituaient ce monde (2.300.000 km2, presque l'ancienne A.E.F.) aurait été nécessaire dès 1956 pour éviter des méprises et des mouvements passionnels. Cependant la vie culturelle n'a pas trop souffert des tempêtes politiques. Le nombre des étudiants congolais dépasse 2.000 en 1968 à l'université de Lovanium ; des instituts nouveaux se sont créés dans le cadre de cette université, parmi lesquels le « Centre d'études littéraires romanes d'inspiration africaine » (C.E.L.R.I.A.) et le « Centre d'études de droit coutumier africain » (C.E.D.C.A.), qui datent de 1961 et sont dirigés respectivement par les professeurs Bol et Van der Linden.

L'évolution politique s'est accompagnée de changements importants dans la vie gouvernementale et administrative des pays étudiés. De nouvelles classes sociales, notamment celle des gouvernants et celle des hauts fonctionnaires, sont apparues. Les activités économiques ont été peu modifiées, sauf en Guinée et plus récemment en

République du Mali, où, dans les deux cas, les menaces d'isolement, puis les préférences idéologiques, ont provoqué une socialisation plus ou moins poussée des activités de base.

L'existence de classes africaines nouvelles et les options à effectuer en matière de politique économique ont quelque peu compliqué le problème des regroupements étatiques.

Les Etats africains sont conscients de la nécessité d'une certaine synchronisation dans l'obtention de leur équilibre final. Ils sont également conscients de la nécessité de rendre aussi perméables que possible les frontières artificielles léguées par les empires coloniaux. De nombreuses initiatives prises dans le domaine culturel émanent de ce souci. Celles qui établissent des liens entre l'Afrique anglophone et l'Afrique francophone méritent une attention particulière.

Le Ghana s'est distingué dans ce travail de rapprochement en patronant l'élaboration d'une *Encyclopédie africaine* et en accueillant la première conférence du Congrès international des Africanistes, qui s'est tenu à Accra du 11 au 18 septembre 1962. Le premier directeur du secrétariat pour une *Encyclopédie africaine* a été le docteur W.E.B. Du Bois (décédé en 1963). Cette *Encyclopédie* couvrira un champ très vaste : de nombreux articles seront probablement consacrés aux écrivains d'expression anglaise et d'expression française. Le comité n° 2 de la conférence des Africanistes avait pour tâche l'étude des groupes ethniques, des langues, des arts et des littératures. Ces travaux se poursuivirent au sein du Congrès international des Africanistes, qui fut présidé jusqu'en 1967 par le docteur Onwuka Dike, recteur de l'université d'Ibadan. Cette dernière ville fut le siège de l'organisation pendant cette même période. La seconde conférence du Congrès international des Africanistes se tint à Dakar en 1967, sous la présidence d'Alioune Diop, animateur de *Présence Africaine*. Les congrès des écrivains et artistes noirs organisés par ce dernier mouvement s'étaient tenus à Paris (1956) et à Rome (1959) : ce sont désormais les grandes capitales africaines qui accueillent les nouvelles assises culturelles. Les facilités offertes par l'université du Ghana dans le domaine de la recherche littéraire africaine frappèrent en 1962 nombre de délégués. Depuis lors, le Ghana est resté très actif.

L'université d'Ibadan fut le siège d'une conférence internationale sur les langues véhiculaires en Afrique Noire, du 30 décembre 1961 au 6 janvier 1962 (1).

Deux conférences, réunissant les experts des pays anglophones et francophones, ont particulièrement traité de l'inscription aux programmes universitaires réguliers d'œuvres littéraires africaines écrites aussi bien dans les langues européennes que dans les langues vernaculaires. Ces deux conférences étaient convoquées par le « West African Continuation Committee », organisme créé à Fourah Bay College (Sierra Leone) en décembre 1961, à l'occasion d'un séminaire sur la coopération inter-universitaire en Afrique de l'Ouest. La première conférence, intitulée « Colloque sur les écrivains africains d'expression française », s'est réunie à l'université de Dakar du 26 au 30 mars 1963. La seconde conférence, plus particulièrement destinée aux universités de langue anglaise, s'est tenue à Freetown (Fourah Bay College) du 3 au 8 avril 1963.

Enfin, la première conférence des écrivains africains de langue anglaise, qui eut lieu à l'université de Makéréré, à Kampala, capitale de l'Ouganda, du 11 au 18 juin 1962, a fait l'objet d'importants articles dans les revues de langue française, notamment « La première conférence des écrivains français de langue anglaise » (*La Vie africaine*, octobre 1962) et « Un panorama de la littérature africaine de langue anglaise, entretien avec l'écrivain Ezékiel Mphalélé » *Afrique*, janvier 1963). Ezékiel Mphalélé, écrivain sud-africain, fondateur du cercle M'Bari d'Ibadan, dirige actuellement à Paris le programme africain du Congrès pour la liberté de la culture : il paraît particulièrement bien placé pour établir un lien entre les littératures d'expression anglaise et française. On doit noter que le Congrès pour la liberté de la culture a patronné, outre la conférence de Kampala, celles de Dakar et de Freetown, dont il a été parlé plus haut.

Le premier colloque international de Bouaké, tenu du 8 au 18 janvier 1962, établissait aussi un contact entre nations anglophones et francophones, puisque le Ghana y était représenté, à côté du

(1) Compte rendu de A. MAVROCORDATO, dans le *Recueil Penant*, sept.-oct. 1962.

Sénégal, du Mali, de la Côte-d'Ivoire, de la Haute-Volta, du Dahomey et du Cameroun. Ce colloque a traité le sujet « Tradition et modernisme en Afrique Noire » ; c'est dire que les nombreux problèmes posés par l'entrée de l'Afrique dans le monde moderne y ont été débattus. Un intéressant compte rendu des débats a été présenté par Sylvain Camara dans le numéro du 31 janvier 1962 d'*Afrique Nouvelle*. De l'excellent exposé de Joseph Ki-Zeibo, *Crise de la civilisation africaine,* on doit retenir en particulier un ardent appel à la culture des langues vernaculaires, qui, à notre sens, doit servir de base, non pas à la renaissance, mais à la naissance littéraire des pays africains de langue française. Une connaissance sûre de cette dernière langue ne nous paraît pouvoir s'acquérir qu'à travers une connaissance approfondie de la langue maternelle ; le développement de la culture française en Afrique passe nécessairement par cette révolution primaire. Ceci ne signifie nullement que le français ou l'anglais ne doive être enseigné très tôt, car ces langues étrangères ont deux fonctions vitales : permettre les contacts avec la civilisations techniquement plus avancées et favoriser l'unité nationale autour d'une même langue administrative. Cependant, la pensée philosophique et artistique demande le support de la langue maternelle, dans laquelle la plupart des Africains continuent à réfléchir et à s'exprimer. Ce support ne sera valable que si cette langue est fixée, codifiée et écrite. A cet égard, les publications bilingues devraient être fortement encouragées. Elles sont fort rares. Le recueil de poèmes *Kamerun ! Kamerun !* du Camerounais Elolongué Epanya Yondo (Présence Africaine, 1960) en offre un exemple, et ce n'est pas là le moindre mérite de cet ouvrage. Un ouvrage publié en 1962 par le Club du livre camerounais, intitulé *Littérature camerounaise,* dû à la collaboration de MM. Fouda, Henry de Julliot et Roger Lagrave, a réuni des contes, des chants et des poèmes tirés de la tradition ; un chapitre traite de l'écriture bamoun, inventé en 1895 et simplifiée en 1910. En Guinée, par une circulaire de février 1963, le président Sékou Touré a lancé une campagne pour rassembler les légendes et les épopées de l'histoire guinéenne, ainsi que pour constituer une bibliothèque des traditions et des pratiques populaires : un tel mouvement ne peut que favoriser une meilleure connaissance des langues ancestrales. La Guinée a déjà vu, dans le domaine littéraire, la réussite magistrale de Djibril Tamsir Niane, avec *Sound-*

jata, ou l'épopée mandingue (Présence Africaine, 1960) : ce livre n'aurait pas pu refléter si fidèlement l'art des griots du Mandé sans une connaissance approfondie de leur langue et de leur style.

L'Ecole pratique des Hautes Etudes et l'Institut d'Ethnologie ont donné un excellent exemple de ce qui peut être fait pour l'épanouissement de la littérature orale africaine en patronnant le bel ouvrage d'Eric de Dampierre, *Poètes nzakara* (Julliard, 1963), fruit d'une collecte effectuée dans le Haut-Oubangui en 1957-1958 auprès d'une quarantaine de chantres locaux. Dans la même collection, il faut citer les deux tomes de *Poésie peule de l'Adamawa*, œuvre de Pierre Francis Lacroix (1965). Ce dernier auteur provoqua, en août 1965, une polémique dans les colonnes du journal *Le Monde* en prenant fermement parti pour l'enseignement des grandes langues vernaculaires dès l'école primaire. Une discussion analogue, entre Africains, a été accueillie dans les pages d'*Afrique Nouvelle* en décembre 1967 et janvier 1968 : l'idée d'Associations pour l'expression et la diffusion de la culture nationale (idée émise par N. Bado) paraît excellente.

Une spirituelle et parfaite mise au point du problème linguistique a été faite par Pierre Alexandre dans son livre *Langues et langages en Afrique Noire* (Payot, 1966).

La recherche des traditions africaines anciennes, le plus souvent ésotériques, aboutit à la découvert de très beaux textes. Nous pensons particulièrement à *Koumen, texte initiatique des pasteurs peuls*, dû à la collaboration d'Amadou Hampaté Ba et de Germaine Diéterlen (Mouton, Paris-La Haye, 1961). Ce texte nous révèle les fondements d'un mouvement poétique qui se manifeste dans les coutumes, l'art oral et l'art pictural, puisque aussi bien *Koumen* a montré que les fresques sahariennes de la période bovidienne sont l'œuvre de pasteurs peuls ou apparentés. Le stableaux de rêve, aux étranges symboles, abondent dans *Koumen*. Voici, à titre d'exemple, celui qui fait entrer en scène le chien du berger :

« Silé ouvrit les yeux, vit le soleil briller à travers les arbres, mais il n'eut pas le temps de l'admirer. Des bêtes hideuses aux mouvements bizarres se ruèrent sur lui. Koumen, voyant Silé troublé au point de s'enfuir, lui souffla l'imposante incantation : Soleil violet qui pointe au milieu des futaies, voile à mes yeux les dents aiguës de tes bêtes. Fais cesser les aboiements de tes chiens qui ont la rage au cœur. Darde vers moi ton rayon unique qui transmet le bonheur et donne la quiétude. Je promets de faire paître bœufs et brebis dans une prairie parfumée à la fleur du koli. *Koli doumani ; moulli doumani ; min tan, lamdo tan.* A ces derniers mots, le soleil violet brilla d'un grand éclat. Silé vit venir à lui un gros chien à la queue frétillante et qui poussait des petits cris de joie... »

Les études africanistes connaissent depuis 1960 un grand essor en Europe. A Paris, des chaires d'études africaines ont été créées en Sorbonne. Ce sont les chaires d'histoire de l'Afrique moderne et contemporaine, confiée à M. Hubert Deschamps, d'histoire des civilisations africaines, confiée à M. Raymond Mauny, d'ethnologie et sociologie de l'Afrique, confiée à M. Georges Balandier. Pour l'année universitaire 1964-1965, l'Ecole pratique des Hautes Etudes consacrait huit enseignements à l'Afrique Noire ; les travaux pratiques dirigés par Denise Paulme (Littérature orale en Afrique Noire) et le cours de J. Maquet (Unités culturelles de l'Afrique Noire) intéressant plus particulièrement la littérature.

A travers l'ouvrage de Jacques Maquet, *Les civilisations noires*, édité en livre de poche pour Marabout Université, l'ethnologie qualifiée a atteint le grand public en 1967. Cet auteur, né à Bruxelles en 1919 mais de nationalité française, a tenté une synthèse tout aussi hardie et désirable que la précédente dans son ouvrage *Africanité traditionnelle et moderne* (Présence Africaine, 1967).

Jean Suret-Canale honore l'école marxiste française en tenant minutieusement à jour, par l'examen des enquêtes les plus directes, son ouvrage *Afrique Noire occidentale et centrale. Géographie. Civilisations. Histoire* (Editions sociales. Troisième édition, 1968).

L'histoire littéraire n'est pas enseignée de façon distincte, ce dont on ne saurait s'étonner si l'on considère la minceur de la matière ; la nécessité d'un enseignement spécialisé pourra se faire sentir lorsque l'art oral de souche traditionnelle, variable selon les degrés de connaissance, sera mieux étudié et commencera à exercer une influence patente sur la littérature moderne. En attendant, il est proposé de faire une place à la littérature africaine dans les programmes des instituts de littérature comparée.

Le colloque de Dakar (mars 1963) sur les écrivains africains d'expression française a mis en évidence l'intérêt que suscite désormais la littérature africaine moderne. L'étude de cette littérature s'organise autour du centre de littérature romane d'inspiration africaine de l'université Lovanium, dirigé par M. Bol. Le nouveau centre de documentation pourrait prendre le nom de « Groupe d'études sur la littérature néo-africaine, section romane » (G.E.L.N.A.). Ses premiers objectifs seraient d'aider à la publication d'une bibliographie générale des écrivains noirs, à laquelle travaille M. Janheinz Jahn, d'éditer un bulletin d'information, de subventionner des filiales (notamment à Poitiers, Grenoble et Rennes) capables d'orienter la recherche universitaire.

L'un des organisateurs du colloque, M. Roger Mercier, professeur à la Faculté des lettres et sciences humaines de Dakar, a publié dans la *Revue de littérature comparée* (janvier-mars 1963) une minutieuse *Bibliographie africaine et malgache* dans laquelle les travaux des écrivains noirs d'expression française sont classés par genres. Cette bibliographie fournit un instrument de travail indispensable. Ultérieurement, cet auteur a publié un cahier sur *Les écrivains négro-africains d'expression française* dans *Tendances* (octobre 1965) et un autre cahier sur *La poésie des Noirs,* n° 28 de la collection « Textes et Documents » éditée par l'Institut Pédagogique National (Paris, 1967).

Les débuts de la littérature africaine d'expression française ont d'autre part fait l'objet d'une importante étude historique, due à Mme Lilyan Lagneau-Kesteloot, professeur à l'université fédérale du Cameroun, *Les écrivains noirs de langue française : naissance d'une littérature* (université libre de Bruxelles, Institut de sociologie Ernest-Solvay, 1963). La revue *Afrique* en a rendu compte et a signalé certaines omissions dans son numéro d'avril 1963. Cette thèse a, entre autres mérites, celui de signaler les influences littéraires directes exercées par trois écrivains de langue anglaise : le Sud-Africain

Thomas Mofolo, avec son roman *Châka* (traduit et publié chez Gallimard, dès 1939), les Américains Claude Mackay (*Banjo*, 1928) et Richard Wright. En particulier, Lilyan Kesteloot a longuement analysé la diffusion de l'œuvre de Claude Mackay parmi l'élite africaine de la génération 1906-1910. Une étude exhaustive des témoignages concernant la connaissance et l'appréciation des œuvres de Mofolo et de Wright reste à faire.

L'œuvre de Janheinz Jahn mérite une mention spéciale, bien que l'histoire littéraire ne forme qu'une faible partie de son objet. La traduction française de *Muntu* (Le Seuil, 1961), publié en allemand dès 1958, constitue un événement important. *Muntu* a pour sous-titre *L'homme africain et la culture néo-africaine*. Il n'est pas sûr que l'adjectif « néo-africain » fasse fortune, mais il a du moins le mérite de souligner la méthode de Jahn, qui étudie minutieusement les caractéristiques des comportements africains anciens et leurs survivances au contact des styles de vie étrangers. Janheinz Jahn, servi par une vaste culture et le goût de l'observation patiente, a donné ainsi la meilleure analyse de la négritude vue par un non Africain. La méthode de Jahn suppose, pour comprendre la littérature africaine moderne, l'étude de l'art oral traditionnel, et cela est bien mis en évidence par la conclusion de sa communication au colloque de Dakar. Cette communication, qui traitait de la poésie néo-africaine, se termine par les lignes suivantes : « ... il faut regretter que l'étude de la stylistique en poésie et en littérature africaines traditionnelles en soit encore à ses débuts. Certes, l'ethnographie a rassemblé des chants dithyrambiques, satiriques, divinatoires, ainsi que des légendes, contes, fables et proverbes africains anciens. On a fait l'exégèse de ces textes, on a essayé d'en dégager les archétypes, on en a étudié l'aspect sociologique, anthropologique, théologique, religieux. On a seulement négligé jusqu'ici de les étudier sous l'aspect stylistique, c'est-à-dire artistique et littéraire. Les études précises sur l'image-magie, l'image-évocation en poésie et en sculpture, sur la rythmique en poésie, dans la musique et dans la danse, sur la mélodie de la phrase, la composition, la symbolique et la versification ont à peine commencé. Il reste donc un vaste champ à prospecter, pour la recherche comme pour l'enseignement, dans le domaine de la littérature et de la poésie africaines traditionnelles, tant pour les universités d'Afrique que pour celles d'Europe et d'ailleurs... » Il faut ajouter à ces lignes que les langues vernaculaires ont été jusqu'à ce jour très peu prises en considération dans les pays d'expression française, qu'il a été très peu discuté de leur phonétique, de leur transcription (qui se codifie cependant peu à peu), de leur syntaxe et de leur vocabulaire ; les textes bilingues sont rares ; les recueils de textes en langue locale sont tout aussi inexistants que les publications, même les plus banales, rédigées dans ces langues. La plus grande partie de ce qui a été fait dans ce domaine est l'œuvre des missions chrétiennes, et il faut les en féliciter. On peut douter, dans ces conditions, que le champ de prospection dont parle Janheinz Jahn s'ouvre dans l'immédiat à la recherche et à l'enseignement. La tâche qui doit être réalisée d'urgence est plus simple ; il s'agit banalement d'apprendre à écrire les langues africaines et, ceci étant fait, et même n'étant pas fait, d'écrire le plus possible dans ces langues, en commençant de préférence par les récits et les chants réputés les plus anciens. Non seulement la critique de la littérature néo-africaine s'en trouvera améliorée, ainsi que l'a montré Jahn, mais la littérature moderne elle-même recevra une nouvelle impulsion. La littérature « vulgaire » passe nécessairement par les langues usuelles, celles qui servent à parler aux autres et à se parler à soi-même, et la littérature vulgaire est elle-même le support de la littérature d'art.

Courant 1964, « Le Seuil » a publié un intéressant ouvrage de Claude Wauthier, journaliste spécialisé de l'A.F.P., intitulé *L'Afrique des Africains. Inventaire de la négritude*. Ce livre embrasse l'ensemble du monde noir, pays anglophones et pays américains inclus, jusqu'à l'été 1963. Il se distingue de celui de Janheinz Jahn en ce que l'analyse porte également sur les œuvres politiques et économiques. L'aspect politique est, au demeurant, dominant dans le travail de Wauthier, qui dit clairement dans son avant-propos : « ... nous entendons nous intéresser au premier chef au courant moderne d'idées nationalistes qui s'est exprimé dans la langue du colonisateur » (p.. 10). On apprécie dans ce livre l'étendue de l'information et une grande objectivité : Wauthier laisse abondamment parler les auteurs que son enquête retient. Dans la première partie, intitulée « Le pèlerinage aux sources », il traite successivement du problème linguistique (Lingua franca), de la défense des usages sociaux africains (Des us et des coutumes), de la littérature de « terroir » (contes, légendes, romans régionalistes étudiés dans le chapitre Terroir), de l'optique africaine de l'Histoire (A chacun sa vérité). Les deuxième et troisième parties, intitulées respectivement « La révolte » et « La nouvelle Afrique », étudient les différents aspects de la vie politique : problèmes de politique intérieure et extérieure (chapitre Le royaume politique. L'Afrique prolétaire), la politique économique (chapitre Le pacte colonial), l'expression des idées politiques en littérature (chapitre Une littérature engagée), les incidences du racisme blanc (La nouvelle Desdémone) et les aspects politiques des religions (Les fils de Cham). Un chapitre relatif à l'évolution de la pensée européenne sur l'Afrique Noire (La crise de la conscience coloniale) montre la part que certains Blancs ont prise dans le mouvement étudié. *L'Afrique des Africains* est donc une analyse de la littérature négro-africaine, prise au sens le plus large, par thèmes ou par centres d'intérêt ; cette méthode se retrouvera dans l'anthologie de Léonard Sainville, dont il sera question ci-après. Cette analyse, dont la présentation était assez délicate, nous paraît juste. Dans sa conclusion, Wauthier fait le point de la situation et imagine ce que pourrait être l'activité intellectuelle de demain : « Nous l'avons vu : l'indépendance est pratiquement partout acquise en Afrique, mais elle est bien fragile, économiquement surtout. L'unité est à faire. Le neutralisme a dû souffrir maints accommodements. Le socialisme — dans la plupart des cas — est encore à bâtir. Si les fondations sont jetées, il reste beaucoup à construire. On peut donc imaginer dans ces perspectives la floraison d'une littérature et d'une recherche scientifique qui se fixeraient pour objectif de compléter les premières conquêtes de l'émancipation. Ainsi se définiraient les thèmes littéraires et les axes de la recherche scientifique de la seconde génération de l'intelligentsia africaine. » (P. 293.)

Au cours de la période 1960-1963, la diffusion de la littérature négro-africaine d'expression française a été facilitée par la publication des premières anthologies générales, groupant poèmes et textes en prose. La première en date paraît avoir été l'*Anthologie africaine et malgache,* de la collection « Mélior » (Seghers, 1961), due à Langston Hugues et Christiane Reygnault. Egalement chez Seghers, mais dans une collection moins coûteuse (« Nouveaux Horizons »), Christiane Reygnault a composé et présenté un *Trésor africain et malgache* (1962), sélectionnant à peu près les mêmes auteurs (parmi lesquels Dadié, Camara, Oyono, Ousmane Socé Diop, Birago Diop, Senghor, David Diop, Rabearivelo, Rabemananjara, etc). L'absence de Mongo Beti, dont l'œuvre domine la production romanesqque des années 1956-1960, est curieuse.

L'Anthologie africaine (Hachette, 1963) est plus à jour et plus complète, puisqu'elle contient des textes de la plupart des auteurs noirs d'expression française, même peu connus du grand public, tels que les Nigériens Boubou Hama et Ibrahim Issa. Cette anthologie est conçue en fonction de l'enseignement ; les auteurs des pays de langue anglaise en sont exclus, alors que les anthologies publiées chez Seghers incluaient quelques grands noms (Jomo Kenyatta, N'Krumah).

En 1963, Présence Africaine a édité le premier tome d'une *Anthologie des romanciers et conteurs négro-africains,* composée par Léonard Sainville. Le champ de cette anthologie est très vaste, puisqu'elle englobe les Antilles, les Etats-Unis d'Amérique, les pays africains de langue anglaise. Cette anthologie a été assez défavorablement jugée par la critique, en raison des certaines lacunes, rondement avouées par l'auteur dans quelques cas. Nous lui reprocherons surtout l'absence de considérations personnelles et historiques. Sainville, qui participa très tôt au mouvement littéraire négro-africain, pouvait, en l'illustrant de son expérience personnelle, donner à l'anthologie une vie qui lui fait défaut : il y a dans cette œuvre un goût d'anachronisme difficilement explicable. Le tome paru groupe les textes sous trois rubriques : La terre natale, moyen d'appréhender le monde, et l'éveil du nationalisme. La primauté et le pittoresque des traditions et des mœurs, Les méfaits de l'oppression raciale. Le tome II (De la révolte élémentaire à la revendication élaborée. L'exaltation de la négritude, La fantaisie, projection de l'univers), a été publié en 1968 et mieux accueilli que le premier.

C'est principalement à la littérature de combat qu'est consacré le *Panorama de la littérature négro-africaine* (1921-1962) d'Edouard Eliet, également publié par Présence Africaine (1965).

A la date du 1er juin 1968, la plus importante et la plus universelle des anthologies publiées est celle de Lilyan Kesteloot, *Anthologie négro-africaine. Panorama critique des prosateurs, poètes et dramaturges noirs du XXe siècle* (Marabout Université, Verviers 1967). Cette anthologie concerne 90 auteurs environ. Son format de poche et son prix modique lui assurent une large diffusion. Aussi faut-il peut-être regretter que les textes de la négritude militante y soient nettement dominants ; les dons d'analyse et les aptitudes contemplatives des peuples noirs risquent de ne pas recevoir toute l'attention qu'ils méritent. Cette réserve n'ôte rien à l'estime que nous avons pour cette œuvre parfaitement documentée, riche d'expérience personnelle, au ton libre et vigoureux.

Mentionnons la collection *Littérature africaine* qu'a créée en 1964 Fernand Nathan, spécialiste du livre scolaire. Cette collection, qui s'est assuré la collaboration de Roger Mercier, de Monique et Simon Battestini, est apparemment destinée aux grandes classes des lycées ; chaque brochure comprend un aperçu biographique, une présentation des œuvres principales, des extraits de ces œuvres, des jugements et critiques, des sujets de devoirs. Dix numéros étaient publiés en juin 1968 : Cheikh Hamidou Kane, Camara Laye, Senghor, Olympe Bhêly-Quénum, Mongo Beti, Birago Diop, Bernard Dadié, Ferdinand Oyono, Aimé Césaire et Rabearivelo.

Sur le plan de la création artistique, l'époque 1958-1964 est dominée par *L'aventure ambiguë*, de Cheikh Hamidou Kane (1961). Ce bref roman traite certes le problème d'un homme issu d'une société déterminée, qui est la société toucouleure du Fouta sénégalais, mais sous ce problème personnel et local, c'est la fermentation intérieure des sociétés africaines qui transparaît. Cette fermentation s'étend à partir des villes. Elle est intense autant que discrète. Un voisinage permanent s'établit entre les comportements les plus contradictoires en matière de mariage, de liberté des conjoints, d'initiative individuelle, de discipline personnelle ou sociale. Cette hétérogénéité des genres de vie doit être prise en considération sur le plan littéraire, car elle rend plus laborieuse la construction de la personnalité et plus précaire la paix de l'esprit. Il faut s'attendre à ce que, pendant de nombreuses années, la littérature africaine reflète cette agitation.

A côté de l'*aventure ambiguë*, deux autres titres constituent des réussite incontestée, le *Soundjata*, de Djibril Tamsir Niane (1960), et *Nocturnes*, de Senghor (1961) ; ce dernier recueil renferme certains poèmes déjà connus, parfois révisés. Nous tenons en haute estime *Les bouts de bois de Dieu*, d'Ousmane Sembène (1960), et *Cette Afrique-là* d'Ikellé-Matiba, mais ces deux œuvres n'ont pas été unanimement distinguées par la critique.

Depuis *L'aventure ambiguë*, qui fut éditée par Julliard, les éditeurs parisiens sans vocation particulière n'ont guère accueilli de manuscrits venus d'Afrique Noire.

Plon, éditeur de Camara Laye, a publié *Dramouss* en 1966. Méritoire est l'effort d'Albin Michel qui a accueilli *La plaie* de Malick Fall en 1967. Les éditions Présence Africaine elles-mêmes n'ont guère révélé de nouveaux auteurs : leur revue s'est principalement distinguée par sa *Nouvelle somme de poésie du monde noir* (1966).

C'est à Paris qu'est décerné chaque année le Grand Prix littéraire de l'Afrique Noire, créé par l'Association des écrivains d'expression française de la mer et de l'outre-mer.

La revue *Afrique* (1961-1967), magazine illustré, créé par une équipe française, suivit très attentivement le mouvement littéraire des pays francophones et anglophones. Ses « Entretiens » apportèrent notamment des renseignements de premier ordre. La série de grand format qui prit fin en juillet 1963 constitua une réussite artistique exceptionnelle.

Au cours de ces dernières années, Olympe Bhêly-Quenum joua, à Paris, un rôle capital et courageux dans le développement de l'information africaine. A partir de 1959, il collabora à *La Vie africaine*, qui avait succédé à *Afrique en marche*, puis en devint le directeur, en continuant à tenir la chronique littéraire toujours vivante et documentée. En 1966, Bhêly-Quenum s'efforça d'acquérir plus d'indépendance pour son équipe ; il fonda une revue bimestrielle et bilingue (français-anglais), *L'Afrique actuelle*, qui, comme ses prédécesseurs, fait une large place aux nouveautés éditoriales. A la fin de 1967, *L'Afrique actuelle* et la SAGEREP ont favorisé directement l'édition en publiant *Un enfant du Tchad* de Joseph Brahim Séid.

La chronique littéraire de *Bingo*, mensuel de bonne tenue quoique destiné à un vaste public, est écrite par Paulin Joachim. C'est peut-être elle qui touche le plus largement le public lettré d'Afrique Noire.

Afrique-Documents et *Afrique Nouvelle* (Dakar) s'efforcent de tenir leurs lecteurs informés du mouvement littéraire.

Sur le plan bibliographique, aucune revue n'examine autant d'ouvrages (pour l'ensemble de l'Afrique Noire et Madagascar) qu'*Afrique contemporaine*, revue bimestrielle publiée par la Documentation française, dont Robert Cornevin est le directeur scientifique.

Il faut signaler le début d'un mouvement éditorial localisé en Afrique Noire. Abbia Clé, à Yaoundé (Cameroun), se distingue dans ce domaine, à la fois par la publication de la revue *Abbia* et par celle de textes littéraires tels que le recueil de nouvelles *Le souffle des ancêtres* (1965) de Jacques Mariel Nzouankeu, très remarqué. L'Imprimerie nationale du Dahomey a notamment édité *Kondo le Requin* de Jean Pliya. A Ouagadougou (Haute-Volta), Yamba Tiendrébéogo a publié avec notre aide les *Contes du Larhallé* (1963) et *Histoire et coutumes royales des Mossi de Ouagadougou* (1964).

Pour apprécier le progrès des lettres africaines on doit enfin tenir compte des travaux universitaires présentés en vue d'obtenir un grade. Ces travaux sont constitués par les thèses de doctorat, dont beaucoup sont soutenues dans les universités françaises de province, les diplômes d'études supérieures, les mémoires présentés dans diverses écoles. Un catalogue (1) de tous ces ouvrages — dans lesquels l'Afrique vivante offre son vrai visage — serait du plus haut intérêt pour l'étude des cultures noires. Ils constituent en outre les débuts, les essais, de nombreux Africains dont le nom sera mieux connu demain. Ils reflètent des idées de jeunesse, des idées dynamiques qui, en définitive, modèlent l'avenir, malgré l'empâtement qu'elles subissent au contact des routines et des lassitudes de toutes sortes.

***

Une sorte de premier sommet de l'élan de l'Afrique libre et de la Négritude a été constitué par le Festival mondial des arts nègres qui s'est tenu à Dakar du 30 mars au 24 avril 1966. La littérature y était présente. Furent distingués pour le prix littéraire francophone : Tchicaya U'Tamsi et Fily Dabo Sissoko (poésie), Ousmane Sembène (roman), Dominique Traoré (sciences humaines), Jacques Maquet (art), Cheikh Anta Diop et Jean Rous (prix spéciaux), Henri Tournaire et Jane Rouch (reportage).

---

(1) Le *Recueil Penant* fait un effort en ce sens. Voir notamment :
— Thèses de doctorat sur l'Afrique (n° 690, 1er trim. 1962, pp. 157-159) ;
— Thèses de doctorat sur les pays en voie de développement (n° 700, 1er trim. 1964, pp. 139-140).

II. GENRES ET AUTEURS

Le mouvement littéraire sera analysé selon le plan suivant, qui correspond en gros à une progression allant de la littérature qui sert à la littérature qui charme.

1. La pensée politique et sociale.
2. Les théoriciens de la personnalité négro-africaine.
3. La tradition orale et l'ethno-histoire.
4. L'historiographie moderne.
5. Les mémorialistes.
6. Le roman.
7. Le conte et la nouvelle.
8. La littérature de voyage.
9. Le théâtre.
10. Le lyrisme.
11. La littérature en liberté.
12. La critique.

1. La pensée politique et sociale.

Les écrits des dirigeants politiques africains se trouvent dispersés dans les périodiques qui se publient dans la plupart des capitales. Les discours et les déclarations y tiennent une grande place, mais on rencontre aussi des articles originaux de valeur. Les petites brochures éditées par les partis politiques, et reproduisant les discours des dirigeants, ont une grande importance dans la vie du pays : les militants intellectuels de la brousse les conservent avec soin et s'y reportent fréquemment.

Présence Africaine a inauguré une collection des « Leaders politiques africains », qui comprend entre autres titres :

— Sékou Touré : *L'expérience guinéenne et l'unité africaine*. Préface d'Aimé Césaire.

— Léopold Sédar Senghor : *Congrès constitutif du P.F.A. Rapport sur la doctrine et le programme du parti.*

— Léopold Sédar Senghor : *Nation et voie africaine du socialisme.*

Expérienne guinéenne et unité africaine, du président Sékou Touré (1962), réunit un grand nombre d'interventions faites devant divers auditoires politiques, souvent au plus haut niveau, jusqu'à fin 1959. On y trouve les grandes lignes d'un excellent programme de lutte contre l'égoïsme et une utile dénonciation des multiples hypocrisies inconscientes qui se remarquent dans le comportement des individus et des groupes les plus favorisés. Peut-être jugera-t-on imprudent l'anathème lancé conte l' « appréciation subjective », réputée conduire à la « critique stérile », et préférera-t-on, dans les exposés de l'éminent homme d'Etat, cette apologie de la liberté que l'on trouve dans le rapport sur l'émancipation de la femme (p. 522) : « Seule la liberté favorise le plein épanouissement et l'entier développement des facultés et des valeurs humaines, suscite la participation volontaire et l'affirmation de la personnalité. »

Nation et voie africaine du socialisme (1961) groupe quelques rapports et conférences du président Léopold Sédar Senghor. Les méditations sur l'éducation et la culture tiennent une place de choix dans ce recueil. C'est ainsi que les responsabilités des militants politiques sont définies de la façon suivante : « ... transformer notre quasi-nation en Nation, notre pays sous-développé en pays développé par l'élévation du niveau de vie et de culture de tous les citoyens de nos Etats respectifs » (p. 93). Le socialisme se définit en termes de culture, et donc de liberté : « Le Socialisme, c'est un perpétuel esprit de recherche et de liberté ; c'est une éducation toujours à refaire. » (P. 132.)

On peut d'ailleurs avancer que culture et éducation demeurent dominées par l'opposition, justement exprimée par Senghor, entre la solidarité africaine, qui donne naissance à un esprit communautaire, et l'individualisme européen, dont le socialisme pourrait n'être, en dernière analyse, qu'un avatar technique. Cette opposition rend compte de la plupart des difficultés de l'actuelle vie sociale africaine.

Au total, la pensée politique africaine se caractérise par l'absence de dogmatisme.

Les leaders africains sont lancés dans une course aux réalisations qui explique le pragmatisme ou l'opportunisme de leur action. De ce fait, certains des ouvrages que l'on vient de mentionner ont été vite dépassés par les événements. Une grande partie des réflexions des responsables africains s'applique aux moyens de faire participer les masses à une activité économique plus rémunératrice et plus constante que celle qui était la leur sous l'administration coloniale. Le grand problème de l'Afrique Noire demeure celui du sous-emploi, et ce sont en grande partie les difficultés climatiques qui le créent. A cet égard, les *Réflexions sur l'économie de l'Afrique Noire*, de Mamadou Dia (Présence Africaine, 1960), demeurent d'une lecture profitable. Il est cependant remarquable que l'économiste lui-même, après avoir mis l'accent sur la politique d'investissement et la nécessité de la planification dans le domaine de la production, consacre de longs développements à la formation de l'élite africaine et mette cette élite en garde contre toute confusion entre l'assimilation technique, souhaitable, et l'assimilation culturelle, réprouvée.

Quelques autres études théoriques doivent être rappelées, ne serait-ce que pour tracer une juste perspective historique. Dès 1956, Abdoulaye Ly s'était attaqué aux problèmes de l'autonomie économique et politique dans son livre *Les masses africaines et l'actuelle condition humaine* (Présence Africaine). Cet ouvrage était constitué aux trois quarts par des discussions théoriques, et le lecteur qui, au vu du titre, y aurait recherché une analyse réaliste du genre de vie des différentes couches du peuple africain aurait été déçu. La première partie avait pour titre « Théorie de l'expansionnisme moderne et de l'anti-impérialisme » : elle témoignait à la fois de la bonne culture marxiste de l'auteur et de son indépendance d'esprit, car sa dénonciation de l' « expansionnisme » s'étendait à l'U.R.S.S., dont, selon lui, « les dirigeants (étaient), au moins dans certains domaines, les exécuteurs testamentaires de la défunte bourgeoisie russe... » (p. 105). On retiendra encore ce qu'il disait du marxisme : « ... première approximation valable dans le domaine des sciences humaines... produit d'un temps et d'un milieu, non seulement limité de ce fait — comme le prouve l'analyse — mais encore chargé de toute une sensibilité, de toute une tradition déformante, lesté d'illusions, de préjugés durcissants et, qui plus est, déjà devenu la logique de justification d'un système politique (le système soviétique) et d'un fétichisme nouveau (le fétichisme du parti) » (p. 19). Fortement préoccupé par l'amélioration du rendement et des revenus agricoles, Abdoulaye Ly mettait en garde contre les erreurs commises par l'U.R.S.S. en matière économique et condamnait le bureaucratisme de cette nation. Le capitalisme occidental était, de son côté, jugé sans indulgence. Dans la seconde partie de l'ouvrage, intitulée « La manifestation de l'impérialisme en Afrique Noire », Abdoulaye Ly dénonçait l'insuffisant dynamisme de l'administration et des milieux commerciaux européens, secondés par une nouvelle bourgeoisie noire un peu distante du peuple.

Le Livre de Majhemout Diop, *Contribution à l'étude des problèmes politiques en Afrique Noire* (Présence Africaine, 1958), a servi de base à une action politique qui, jusqu'à ce jour, n'a pas connu le succès. Le livre s'ouvre sur trois épigraphes qui en indiquent assez bien l'esprit : ces citations sont de Marx, Lénine et Birago Diop, le plus exquis des conteurs africains. *La Contribution* de Majhemout Diop tend en effet à mettre les éléments du marxisme-léninisme à la portée de tous les Africains et à valoriser simultanément la vie africaine traditionnelle. Cette double tendance se marque particulièrement dans le chapitre VII, intitulé « Le parti du prolétariat et les questions de la religiion, de la culture et de la nation », où l'auteur s'attache à montrer le respect dont jouissent les langues, les religions et les coutumes locales, tant sur le plan de la théorie que sur celui de la réalité, dans les pays communistes et, plus spécialement, en U.R.S.S. On peut toutefois se demander, après avoir lu ce chapitre, si le caractère contemplatif de toute vie spirituelle profonde est compatible avec l'aptitude à la mobilisation des volontés qui fait l'attrait du marxisme en Afrique Noire. Quoi qu'il en soit, Majhemout Diop est en sympathie avec l'Afrique traditionnelle : cela se note dans la modération de ses remarques à l'égard des féodaux noirs (p. 121) et dans les faiblesses sentimentales qu'il paraît avoir pour la religion traditionnelle («fétichisme, animisme, naturalisme, polythéisme, paganisme, etc. »), « la seule typiquement africaine » (p. 172). Ses vues sur l'esclavage diffèrent sensiblement de celles d'autres théoriciens africains, tel Cheikh Anta Diop, dans la mesure où il n'hésite pas à constater l'existence de cette pratique en Afrique antérieurement à toute influence européenne (p. 89). La formation marxiste de Majhemout Diop donne de bons résultats dans les deux chapitres analytiques intitulés « La pénétration du capitalisme en Afrique Noire et la destruction des anciens sytèmes économiques » et « La structure d'ensemble de la société africaine ». Ces chapitres ne comportent cependant que des constatations rapides, qui méritent d'être vérifiées et approfondies par des enquêtes scientifiquement conduites, en marge de toute théorie. La signification des castes, auxquelles Majhemout Diop consacre un sous-chapitre, demeure mystérieuse, et c'est avec raison que l'auteur souligne l'absence d'une étude statistique sur ce sujet. En résumé, ce livre est important par la clarté de sa méthode et l'authentique amour de l'Afrique qui s'y manifeste. Il met en relief les aspects nobles, souvent oubliés, du marxisme théorique.

Il y a peu de choses à dire aujourd'hui du livre du Dahoméen Albert Tevoedjre, *L'Afrique révoltée* (Présence Africaine, 1958). L'auteur, né en 1929, avait été pendant plusieurs années rédacteur en chef de *L'étudiant d'Afrique Noire,* organe de la Fédération des Etudiants d'Afrique Noire en France. *L'Afrique révoltée,* livre achevé en février 1958, avait le mérite de présenter à l'époque le point de vue d'une importante fraction de la jeunesse estudiantine — celui de la jeunesse progressiste chrétienne. L'esprit du livre est assez bien condensé dans cette conclusion : « ... notre première tâche aujourd'hui consiste à bâtir d'abord la communauté africaine et à ne pas nous prêter à une croisade douteuse pour la défense d'une civilisation et d'un système d'intérêts dont nous avons été plus les victimes que les profiteurs » (p. 31). On peut dire que telle est bien la politique effective de tous les dirigeants africains actuels. La partie constructive du livre est constituée par le chapitre IX, intitulé « L'indépendance, pourquoi faire ? », qui demeure de lecture profitable. Le programme de Tevoedjre sur la formation de grandes fédérations en Afrique Noire, sur la révolution agricole, sur l'industrialisation, sur le financement et sur l'enseignement reflète un idéalisme de bon aloi. La plupart de ces idées — qui apparaissent comme l'expression de la conscience collective — sont d'ailleurs en train de se concrétiser dans les faits (conseils du paysannat, crédit agricole, réinvestissement sur place des bénéfices, tarifs douaniers autonomes, réforme de l'enseignement supérieur et de l'enseignement de l'histoire notamment). La « défense et illustration » des langues vernaculaires, que prône avec raison Tevoedjre, paraît en revanche ne pas avoir encore retenu l'attention de tous les gouvernements : cette tâche est pourtant urgente, car elle exige l'inventaire préalable d'un patrimoine que le silence efface un peu chaque jour.

Le Malien Seydou Badian Kouyaté a publié en 1964 chez Maspéro un ouvrage politique, *Les dirigeants africains face à leur peuple,* bien écrit et de lecture aisée, qui prône un certain dirigisme culturel dont les principes sont :

— encouragement à l'exaltation du travail productif et de la révolution socialiste,

— méfiance à l'égard des héros du passé (guerriers notamment),

— méfiance à l'égard des héros d'un clan, d'une race ou d'une région.

Bien que ce livre soit au premier chef une œuvre de combat, il contient maintes remarques fines sur la société africaine.

Cette rapide revue des principaux titres de la littérature politique africaine serait incomplète si l'on ne mentionnait les réflexions libres, pleines de bon sens, assénées avec autorité et mesure par le Voltaïque Simon Kiba dans la colonne « Libres propos » de l'hebdomadaire dakarois *Afrique Nouvelle*. L'ensemble de ces colonnes constitue une chronique de valeur jusqu'en 1965 ; une sélection par thèmes serait sans doute bien accueillie du public ouest-africain. Simon Kiba est aussi un excellent sociologue, comme le montre son article « Un village de Haute-Volta », publié dans la *Revue de l'action populaire* (nº 139, juin 1960, pp. 757-766).

La pensée politique et sociale dans les nouveaux Etats africains a été étudiée avec précision par Louis-Vincent Thomas, doyen de la Faculté des Lettres de l'université de Dakar. Ses ouvrages *Les idéologies négro-africaines d'aujourd'hui* (1965, faculté des Lettres de Dakar), *Le socialisme et l'Afrique* (1966, Le Livre Africain, Paris) s'attachent à montrer l'interpénétration de l'Afrique traditionnelle, qui tentait de se situer hors du temps, et de l'Afrique « prométhéenne », consciente de participer à une entreprise planétaire qui s'accompagne de multiples compétitions dans lesquelles le temps constitue une donnée primordiale.

2. Les théoriciens de la personnalité négro-africaine.

Toute renaissance s'accompagne d'une reconnaissance de soi-même. A ce mouvement, qui débuta à Paris vers 1932, s'attachent les plus grands noms de l'Afrique intellectuelle d'aujourd'hui. A l'origine, il s'agissait surtout de restaurer la dignité de l'homme noir, menacée par la subordination née de la situation coloniale et par quelques préjugés plus anciens. Ce mouvement, à dominante sentimentale, était conforme à l'esprit de l'enseignement universitaire européen, lequel, fortement influencé depuis le début du XIXe siècle par le romantisme allemand, s'attache, avec une ferme volonté de dépouillement, à l'étude des origines, à la caractérisation des ensembles et à la critique des idées communément reçues. Lorsque, vers 1958, de nombreux peuples noirs redevinrent maîtres de leur destin, l'étude des valeurs proprement négro-africaines prit une importance pratique nouvelle ; les options faites au niveau des gouvernements orientent la culture et influent sur sa qualité.

Dans le cadre réduit de cet ouvrage, nous nous bornerons à mentionner les travaux de Léopold Sédar Senghor, de Cheikh Anta Diop, de Joseph Ki-Zerbo et de Boubou Hama.

Un récent recueil des écrits théoriques et critiques de Senghor, *Liberté I,* dont le sous-titre est *Négritude et humanisme* (Le Seuil, 1964), permet d'apprécier la constance avec laquelle ce penseur définit et défend le concept de négritude depuis 1937. La négritude, qui est encore « la personnalité collective négro-africaine » (préface de *Liberté I*), a pour principaux éléments la raison intuitive, le sentiment et la volonté de participation qui donnent naissance à une société et à une religion de communion, la prédominance de l'émotion dans l'activité humaine, la prédominance de l'image et du rythme dans les arts. Le rythme, manifeste dans la musique et dans la danse, est l'élément le plus sensible de la négritude ; il occupe une place importante dans les exposés de Senghor.

En une circonstance au moins, Senghor a opposé la personnalité négro-africaine à l'intellectualisme latin : « La vertu de l'éducation est de faire assimiler des richesses étrangères, dont on se fait un sang nouveau. Ces richesses nous sont nourriture dans la mesure même où elles nous sont d'abord étrangères. Les valeurs latines, françaises, cartésiennes sont précisément à l'opposé des valeurs négro-africaines. De là, leur vertu. » (Texte de 1958, *Liberté I*, p. 229.) Et, dans un discours officiel en Sorbonne, il rappelait : « Oui, j'ai attaqué Descartes au coupe-coupe et soutenu, avec une passion toute barbare, la raison intuitive contre la raison discursive. » (1961, *Liberté I*, p. 315.) L'humour que ces dernières lignes révèlent prouve que, chez Senghor, l'opposition des deux tendances a été dépassée.

Senghor s'est prononcé plusieurs fois sur la question de l'enseignement des langues maternelles. Le dernier état de sa pensée paraît se trouver dans l'excellent article du 3 janvier 1958 d'*Afrique Nouvelle*, « Le problème des langues vernaculaires ou le bilinguisme comme solution » (*Liberté I*, pp. 228-231), Senghor notait avec raison que l'enseignement d'une langue vernaculaire concurrence celui d'une seconde langue étrangère, l'anglais principalement. La solution proposée était, en 1958 : pour l'enseignement primaire, une ou deux heures par semaine de lecture et d'écriture dans la langue maternelle ; pour l'enseignement secondaire, la possibilité, offerte à l'élève, de substituer l'étude de la langue maternelle à celle de la langue étrangère. Nous pensons qu'il serait également possible de donner de la langue vernaculaire un enseignement facultatif ; les points dépassant la moyenne, multipliés par un coefficient intéressant, seraient pris en considération pour le classement et les examens de fin d'études.

Dès le mois de novembre 1948, Cheikh Anta Diop (né à Diourbel, Sénégal, en 1923) publiait dans la revue *Le Musée vivant* (numéro spécial commémorant l'abolition de l'esclavage) l'intéressant article « Quand pourra-t-on parler d'une renaissance africaine ? ». Dans un paragraphe intitulé « De la nécessité d'une culture fondée sur les langues africaines », l'auteur évoquait la « possibilité de considérer l'égyptien comme une langue morte et de bâtir des humanités à base égyptienne ». L'exactitude et la virtuosité expressive de certaines remarques étaient frappantes. Les traits essentiels de la personnalité et de la culture de Cheikh Anta Diop apparaissaient très nettement à travers la conclusion, dont on appréciera le style tranchant et net : « ... Nous demeurons convaincus que le bienfait incontestable de la colonisation est le rationalisme laïque qui nous permet d'envisager les choses en dehors des catégories religieuses, quelles qu'elles soient, et de nous libérer ainsi intellectuellement. Disons, pour terminer, que ce sont des ressorts que nous cherchons, au fond, dans la tradition africaine et, quand nous les trouvons, nous devons appuyer dessus à tout casser : ceci différencie foncièrement notre attitude de celle de l'africaniste européen qui, lui, est plus préoccupé de dégager une sorte de vérité historique abstraite. Ceci expliquera notre indifférence, en général, vis-à-vis de ce qui a été fait sur l'Afrique, même quand ce le fut de bonne foi. A ce propos, disons en passant que seuls les travaux allemands semblent susceptibles de retenir l'attention des Africains futurs par leur côté sérieux et le grand intérêt spéculatif qui s'en dégage... »

En 1955, Cheikh Anta Diop publia *Nations nègres et culture* aux éditions Présence Africaine. C'était un ouvrage surtout polémique, tendant à montrer que les civilisations africaines, y compris la civilisation antique de l'Égypte, ont une origine géographique commune qui serait la région du Haut-Nil. Selon Cheikh Anta Diop, les anciens Egyptiens étaient des Noirs, qui se métissèrent par la suite avec les populations venues du Proche-Orient. L'auteur permettait ainsi au mouvement de renaissance noire de se réclamer d'une solide tradition et d'un Etat fort : l''antique Egypte. Cette démarche est caractéristique du romantisme archéologique, nationaliste, qui se manifesta en Allemagne à la charnière des XVIIIe et XIXe siècles (Herder, Fichte, les frères Schlegel) et eut tant de succès dans toute l'Europe. *Nations nègres et culture* souleva l'enthousiasme de quelques-uns et la méfiance de quelques autres, ce qui était normal pour un ouvrage dans lequel la passion dominait.

Cheikh Anta Diop a encore publié chez Présence Africaine *L'Unité culturelle de l'Afrique Noire* (1959), *L'Afrique Noire précoloniale* (1960), *Systèmes politiques et sociaux de l'Europe et de l'Afrique.*

Raymond Mauny, aujourd'hui professeur à la Sorbonne, a fait une critique attentive et objective de *Nations nègres et culture* et de *L'Afrique Noire précoloniale* dans le *Bulletin de l'Institut français d'Afrique Noire* (1960, pp. 544-555). Diop lui a répondu de façon minutieuse dans le même périodique (1962, pp. 542-574). Cette polémique abondante et courtoise est tout à l'honneur des deux savants (1).

La lecture de *L'unité culturelle de l'Afrique Noire* laisse une impression mitigée. On trouve dans ce livre des pages instructives et justes sur le sorcier mangeur d'âmes (p. 37), sur l'emploi des prénoms et noms claniques (p. 65), sur la solidarité de droit et la criminalité en Afrique Noire (p. 154). En revanche, l'information historique est de seconde main : rien aujourd'hui ne permet d'affirmer, par exemple, qu'en 1240 le Ghana disparut politiquement en totalité au profit de l'empire du Mali. C'est sans doute une erreur d'impression qui fixe à 1253 au lieu de 1353 la visite d'Ibn Batouta au Mali (p. 117). L'information juridique paraît un peu incertaine : Diop commet par exemple une erreur lorsqu'il écrit : « La femme africaine continue à porter le nom de sa famille, contrairement à la femme indo-européenne qui perd le sien pour prendre celui se don mari. » (P. 43.) La femme française conserve toujours le nom qui résulte de sa filiation ; elle a seulement la faculté de signer par celui de son mari, et, dans certaines provinces, en vertu d'un vieil usage, le mari peut accoler à son nom celui de sa femme. Ce sont toutefois les excès de certaines des affirmation générales de Cheikh Anta Diop qui soulèvent des objections graves. Ecrire « A l'époque où Caton prononçait ces paroles sur le Forum romain (défense de la loi Oppia), dans le berceau méridional, en Afrique, les femmes par-

---

(1) Parmi les études sur les travaux de Cheikh Anta Diop, voir notamment un compte rendu de Sainte-Fare-Carnot, in *Revue historique,* 2e Sem. 1961, pp. 99. et ss.

ticipaient à la vie publique, avec droit de vote, pouvaient être reines, jouissaient de toute leur personnalité juridique égale à celle de l'homme » (p. 81)) révèle un manque total de mesure. On peut, d'autre part, douter de la représentativité des interlocuteurs européens de l'auteur lorsqu'on lit sous sa plume : « Les Européennes qui ont visité l'Afrique et y ont séjourné plus ou moins longtemps ne plaignent pas les Africaines : elles les trouvent heureuses. » (P. 119.) Il est difficile de croire que ces Européennes se soient exprimées avec si peu de nuances. Enfin, il paraît étrange qu'une page à peine soit consacrée au patriarcat africain, alors que son importance est si grande chez les sédentaires de la savane (Bambaras et Mossi, par exemple) ; l'histoire de ces sédentaires révèle que certaines femmes ont parfois laissé un souvenir durable, mais le pouvoir et le commandement ont toujours été concentrés entre les mains d'un homme, chef de famille.

Dans une longue synthèse intitulée « Histoire primitive de l'Humanité : évolution du monde noir » (*Bulletin de l'I.F.A.N.*, 1962, pp. 449-541), Cheikh Anta Diop a précisé un certain nombre de questions abordées dans *Nations nègres et culture*. L'idée-force des travaux de Cheikh Anta Diop se trouve exprimée à la page 491 :

« Ce qui était important c'était d'arriver à dégager l'aire culturelle plus ancienne à laquelle se rattachent historiquement à des degrés différents les cultures africaines actuelles pour que disparaissent les solutions de continuité. Le malaise venait du fait que la quasi-totalité des chercheurs contemporains semblait se refuser à tout jamais à rattacher la culture africaine à quelque souche ancienne que ce fût : elle était là cette culture, suspendue en l'air au-dessus du gouffre noir du passé, comme une ébauche avortée, étrangère au reste du monde... »,, et à la page 492 :

« Quelque idée que l'on ait sur les races qui ont peuplé l'Egypte et le reste de l'Afrique Noire, on est obligé de convenir que l'Egypte et l'Afrique Noire appartiennent au même univers culturel : la culture africaine actuelle plonge ses racines dans le limon de la vallée du Nil... »

Cette dernière proposition nous paraît malheureuse. De ce que la race noire ait été présente, ou même dominante en Egypte et de ce qu'il y ait un certain nombre de similitudes entre le comportement de certains Africains noirs actuels et celui des anciens Egyptiens, il ne s'ensuit nullement que l'ensemble des civilisations noires ait une origine nilotique ni à plus forte raison égyptienne. Les phénomènes spirituels ne sont pas, sur le plan humain, d'une variété telle que la ressemblance ou l'identité de deux d'entre eux doive évoquer irrésistiblement un contact. La typologie des civilisations en est à ses débuts. Elle permettra ultérieurement de dire ce qui est original et ce qui ne l'est pas, ce qui résulte d'apports extérieurs et ce qui résulte d'un développement solitaire. Il était certes urgent d'organiser les études africaines autour des sources de la pensée spontanée. Cette réforme s'accomplit actuellement. Nous estimons cependant que les « humanités » classiques africaines doivent reposer beaucoup plus sur la collecte des traditions locales anciennes, dont beaucoup se transmettaient entre initiés, que sur la connaissance d'une civilisation dont les bases géographiques sont très différentes de celles de la plupart des civilisations sub-sahariennes. La civilisation égyptienne est celle d'un fleuve qui n'est semblable à aucun autre, pas même au Niger, avec lequel il fut si longtemps confondu dans l'imagination des voyageurs.

Le cas des rapports entre le Sénégal et l'Egypte peut être dissocié de l'ensemble des spéculations de Cheikh Anta Diop. Ses comparaisons entre le valaf et l'égyptien ancien sont importantes : elles méritent des études approfondies, qui seront difficiles en raison des connaissances spéciales qu'elles requièrent. La question des contacts entre les Peuls et l'Egypte ancienne présente elle aussi une certaine autonomie, bien qu'elle soit liée à la précédente.

La force polémique des écrits de Cheikh Anta Diop ne doit pas faire oublier leur fécondité. Ils ouvrent, çà et là, de nombreuses pistes que suivront utilement les jeunes chercheurs. Il est certain, par exemple, que Cheikh Anta Diop se place au cœur de l'Afrique actuelle lorsqu'il évoque le passage d'une société de castes (fondée sur la recherche de l'estime publique) à une société de classes (fondée sur la recherche du pouvoir personnel par l'intermédiaire de la monnaie) et suggère que ce passage soit spécialement étudié dans le delta atlantique du Niger. Certains chercheurs américains ont déjà esquissé une théorie de ce phénomène à l'échelle du continent (Elisabeth Colson, « Native cultural and social patterns in contemporary Africa », in *Africa to-day*, Baltimore, John Hopkins Press, 1960).

En 1967, Cheikh Anta Diop a publié une mise au point de *Nations nègres et culture* sous le titre *Antériorité des civilisations nègres. Mythe ou vérité historique ?* (Présence Africaine). Il y répond aux critiques de Mauny, Suret-Canale, Devisse, et produit de nouveaux témoignages. Le ton reste assez passionné. Cette polémique aura fait incontestablement progresser les connaissances scientifiques sur les rapports entre l'Egypte ancienne et les autres régions d'Afrique. Une certaine totalité du sentiment et de la pensée est particulièrement estimable chez Cheikh Anta Diop ; sa conclusion révèle une profonde angoisse relative à la place qui sera réservée au Tiers-Monde dans la civilisation universelle dont la pénible gestation s'annonce.

Joseph Ki-Zerbo (né à Toma, Haute-Volta, en 1922) s'est surtout attaché à l'étude du passé et de l'évolution actuelle de l'Afrique Noire. Il a publié, à la fin de 1963, une brève présentation des civilisations du monde africain noir sous le titre *Le Monde noir* (Hatier) ; ses analyses les plus personnelles doivent cependant être recherchées dans la revue *Présence Africaine* et dans l'hebdomadaire *Afrique Nouvelle*. C'est dans cette dernière publication que se trouve son important article sur « La personnalité négro-africaine » (14 mars 1962). Ki-Zerbo ne sent pas cette personnalité autrement que Senghor, mais il s'attache à expliquer certains de ses traits actuels par la géographie et l'histoire ; il est porté au diagnostic et à la prescription ; ses écrits reflètent un certain dynamisme qui leur est propre. Ki-Zerbo insiste sur l'isolement très prolongé de l'Afrique, dont le premier résultat est le retard dans le domaine technique, ce retard a lui-même rendu possible la traite et la conquête coloniale, avec leurs incidences psychologiques bien connues. Cet isolement a maintenu l'originalité d'une « société collectivisée et hiérarchisée en fonction de l'âge », dans laquelle « le sens du don, des échanges interpersonnels est prépondérant ». Les valeurs de cette société sont anti-économiques : « les possibilités internes d'épargne et de capitalisation sont pratiquement annihilées ». L'auteur montre ensuite comment la rupture de l'isolement, la monétarisation des activités humaines et le développement de l'instruction nouvelle tendent à modifier rapidement la personnalité négro-africaine. Consciente de ce fait, « une bonne partie de l'élite africaine moderne est fermement décidée à lutter pour remodeler le visage de l'Afrique sans le mutiler ni le rendre méconnaissable ». C'est qu'en effet les tendances généreuses de la société ancienne confèrent à la personnalité négro-africaine « une disponibilité et une chaleur incontestables, un tonus de fraternité humaine inconditionnelle qui est la base d'un humanisme profond ». Quelle action propose Ki-Zerbo ? « Nous pensons — écrit-il dans l'article d'*Afrique Nouvelle* — que le panafricanisme est une des clés indispensables du succès. » La conclusion de la plaquette *Le Monde noir* reflète une autre péoccupation : « Pour concilier cette double exigence de sauver l'essentiel du passé pour l'incarner dans l'essentiel du présent et de l'avenir, il faut que tous les leaders à tous les niveaux sachent lâcher l'homme africain. En effet, il n'y a pas de plus grand inventeur que le peuple. Le peuple africain seul, guidé bien sûr, mais surtout armé techniquement, saura revêtir l'armure du progrès moderne sans renier pour autant sa puissante personnalité. »

Par son ouvrage *Enquête sur les fondements et la genèse de l'unité africaine* (Présence Africaine, 1966), l'érudit et homme politique nigérien Boubou Hama s'est joint au groupe des défenseurs éminents de l'originalité négro-africaine. Malgré un contenu un peu désordonné et une manière d'écrire trop souvent pléthorique, ce livre reflète les saines idées de son auteur, telle celle-ci (p. 505) : « nous devons pouvoir résumer et l'Inde ancienne et l'Occident sur une lancée d'évolution humaine capable de sauver et l'esprit et le corps : l'un et l'autre sont solidaires, l'un et l'autre ne sont pas haïssables, l'un et l'autre, fortifiés, j'en suis convaincu, aboutiront à l'*homme total,* non pas au *surhomme* dont rêvent certains (ce qui est peut-être du racisme)... ».

3. La tradition orale et l'ethno-histoire. Recherches et essais romanesques.

Plusieurs auteurs ont essayé de sauver le passé africain du néant auquel le condamnent la rupture prévisible de la tradition orale par manque de foi et aussi les défaillances de mémoire. Paul Hazoumé avec *Doguicimi* (Dahomey), Jean Malonga avec *La Légende de M'Pfoumou Ma Mazono* (Congo), Nazi Boni avec *Crépuscule des temps anciens* (Haute-Volta) ont adopté la forme romancée. Amadou Hampaté Ba, assisté par Jacques Daget, a réussi, dans une forme classique, la reconstitution de l'histoire de l'empire peul du Macina (Mali). Djibril Tamsir Niane, enfin, a su insérer l'épopée traditionnelle dans la littérature moderne, en écrivant un excellent *Soundjata* (Guinée).

Doguicimi fut achevé à Cotonou en août 1935. Cette œuvre est le « fruit de vingt-cinq années de commerce avec les anciens du Dahomey » (préface de l'auteur). Elle relate la lutte de deux peuples (les Dahoménous et les Mahinous), sous le règne de Guézo, roi d'Abomey vers 1830. Le thème central du roman est la constance héroïque de Doguicimi, princesse d'Abomey, dont l'époux, le prince Toffa, meurt en captivité chez les Mahinous. Par la rigueur et la simplicité de sa composition, par la force avec laquelle sont présentés les caractères et les conflits (notamment la révolte de la passion contre l'ordre social), par l'effacement du narrateur, *Doguicimi* atteint presque la perfection dans l'ordre classique et pourrait aisément être porté à la scène. C'est un sommet de la littérature africaine d'expression française. On peut penser que ce sera l'un des modèles du roman de mœurs, du roman historique et du roman sentimental de l'Afrique de demain. Il faut enfin noter que *Doguicimi* constitue un document ethnologique de valeur (tableaux de la vie nationale, cérémonial de la Cour, sens des exécutions capitales) sur le Dahomey et contient des remarques importantes sur les rapports Europe-Afrique Noire.

La légende de M'Pfoumou Ma Mazono, de Malonga, relate comment un fils de famille princière, né d'une mère adultère, s'impose, avec l'aide d'anciens esclaves, et assoit son autorité sur le peuple des Lari. Le héros bat les Bakongo voisins, trafiquants d'esclaves, et fonde le bourg de N'Tsangou, où règnent l'égalité et le dévouement à la communauté. Ce livre ne défend pas seulement une idée généreuse. C'est une réussite artistique par sa vivacité, sa précision, son intrigue prenante. Il donne une juste idée de l'esprit et toutes les forces de la nature ; la magie a une importance consi-
africain traditionnel, fondé sur une intime communion entre l'homme dérable dans le récit ; on dit d'un homme puissant qu'il est une « force » ; la qualité de chef est inséparable de la maîtrise des forces occultes, et celle-ci suppose le soutien des « n'ganga », les grands magiciens. Malonga esquisse à la page 109 une philosophie, sommaire sans doute mais non fausse, fondée sur l'idée de satisfaction : « Il y a dans l'Univers un besoin commun à tous les êtres. Il s'appelle Satisfaction... » Un certain sentimentalisme larmoyant est à noter : c'est la part des tendances modernes dans cette « légende ».

Avec *Crépuscule des temps anciens* (*Chronique du Bwamu*), du Voltaïque Nazi Boni, le roman historique africain s'est enrichi d'un nouveau titre en 1962. *Crépuscule des temps anciens* présente d'importantes analogies avec *Doguicimi :* même exaltation des vertus guerrières et de l'honneur au combat, même exaltation de l'amour fidèle chez la femme, même goût de la précision ethnologique, même rigueur dramatique de l'intrigue. L'histoire des guerriers Kya et Térhé intéresse aussi vivement que la reconstitution de la vie politique traditionnelle du Bwamu, fondée sur le pouvoir religieux ou magique des chefs de terre, des anciens, des devins, des féticheurs et des sorciers. La vie traditionnelle du peuple connu généralement sous le nom de Bobo-Oulé (Bobos rouges) est peinte avec beaucoup de précision. Les récits du chasseur Gnin'lé (pp. 176 et s.) pourraient constituer l'ébauche d'un intéressant recueil de contes. La faiblesse de *Crépuscule des temps anciens* réside dans le style, qui pèche par l'emploi de tournures argotiques ou vulgaires. Celles-ci choquent d'autant plus qu'elles servent parfois à traduire les paroles d'Africains n'ayant eu aucun contact avec les Européens. Citons par exemple « J'en ai marre... » (p. 68), « Ils encaissaient mal la vacherie » (p. 128). « La pauvre Hagni'nlé toute baba prenait en particulier une impitoyable râclée « (p. 143, « bouffé » dans le sens de « mangé » (p. 158). On note aussi certains termes qui détonent, soit parce qu'ils se rapportent à des réalités proprement européennes, soit parce qu'ils introduisent dans le texte une note de modernisme qui nuit à la fiction historique. Tels sont par exemple les mots et expressions « Radio brousse » (p. 71). « short » (p. 78), « ce cœur d'artichaut » (p. 135, — nous n'avons jamais vu ce légume sur un marché africain), « airs patibulaires » et « question » dans le sens de « torture » (p. 136), « ordre du jour » et « exposé des motifs » (p. 161, — emprunts à la technique parlementaire). Un jeu de mots tel que « à la bonne chère associer les belles chairs » (p. 71) est également inopportun dans un récit consacré à la description d'une société profondément différente de la société française. Il faut noter d'autre part quelques inversions abusives dans les descriptions d'atmosphère, dont le style sonne souvent précieux aux oreilles françaises : « Ne hantait plus les esprits depuis deux mois la lugubre vision du fulgurant ciel d'hivernage qui déchargeait coléreusement sur la terre effarée son avalanche d'eau et d'orage, fier d'aréner les chétives demeures des hommes » (début du chapitre XII, en notant que le verbe « aréner », rare, paraît être intransitif). Et encore : « Commençait à s'amonceler au-dessus des hangars la paille d'arachide, fourrage réservé au bétail en saison sèche. » Ces tendances précieuses, qui paraissent remonter, du moins quant au vocabulaire, à *Batouala* (1921), ne nous semblent pas devoir être encouragées en Afrique, bien qu'elles aient le mérite de rappeler des termes exacts et utiles, tels, dans l'ouvrage de Nazi Boni, « spumeux » (p. 77), « vermiller » (p. 108), « pintades halbrenées » (p. 134), « vénusté » (p. 149). Avec ses qualités de fond et ses particularités de forme, *Crépuscule des temps anciens* donne un exemple caractéristique du roman africain de thème traditionnel dans sa période d'éclosion.

La première partie de *L'empire peul du Macina*, de Ba et Daget, a été publiée en 1955 par le centre I.F.A.N. du Soudan et réédité par Mouton en 1963. Elle relate la fondation de cet empire et les événements de la période 1818-1853 couvrant les règnes de Cheikou Ahmadou et de son fils. La publication de la deuxième partie, consacrée au déclin de cet empire et à ses rapports avec les Toucouleurs d'El Hadj Omar, n'est pas encore réalisée au moment où nous écrivons ces lignes. On ne peut qu'admirer l'abondance et la précision des détails recueillis par les deux chercheurs auprès de quelque deux cents chefs religieux et marabouts traditionistes. L'existence de manuscrits arabes favorisait sans doute la tâche, mais cet effort n'en demeure pas moins remarquable. Ba et Daget ont ainsi donné à l'actuel Mali une relation historique dont la richesse égale celle des meilleurs ouvrages d'histoire européenne. Ce travail est en outre d'un grand intérêt sociologique par certaines de ses parties, tels le chapitre V sur l'organisation de la Dina et le chapitre VI sur la réglementation de la transhumance. Ainsi que le soulignent les auteurs dans leur avant-propos, les forces surnaturelles jouent un grand rôle dans la narration ; un sens aigu de l'honneur guerrier s'y manifeste avec une égale fréquence ; ce sont là des traits de fidélité aux traditions recueillies.

C'est une voie nouvelle que Djibril Tamsir Niane a ouverte aux recherches historiques en écrivant *Soundjata, ou l'épopée mandingue* (Présence Africaine, 1960). On souhaite que de nombreux maîtres aient la patience de Niane pour recueillir les récits des griots-historiens, dont les souvenirs sont les véritables archives de l'Afrique occidentale. Il est même urgent que tous les ministères locaux de l'Education nationale encouragent par des subventions ou des prix la rédaction des traditions historiques, car la fonction du griot paraît condamnée par l'évolution des mœurs et risque de disparaître dans les vingt années qui viennent. Ces traditions confondent le réel et le fabuleux. Elles sont à la fois contes, apologues, récits d'information. Tout est à consigner, car l'ensemble constitue le fondement des humanités africaines. La geste de Soundiata, rédigée par Niane selon les versions de Kankan et de Siguiri, est l'une des plus populaires et des plus diffusées au Soudan et en Guinée. Il était relativement facile de la recueillir, mais il faut souligner la fidélité de la traduction de Niane. L'art du griot est parfaitement respecté dans une traduction française vigoureuse et correcte. Du point de vue simplement artistique, l'œuvre de Niane est l'une des meilleurss réalisations littéraires de la période 1957-1960.

En union avec *L'empire peul du Macina*, de Ba et Daget, le *Soundjata* de Niane donne l'exemple de ce que doit être la recherche locale africaine de demain.

Djibril Tamsir Niane a également utilisé la tradition orale dans ses *Recherches sur l'empire du Mali au Moyen Age* (n° 2 des Mémoires de l'Institut National de Recherches et de Documentation, Conakry, 1962).

Au Rwanda, l'abbé Alexis Kagame a contribué à fixer l'histoire orale avec deux études publiées par l'Académie royale des Sciences d'Outre-Mer de Bruxelles : *Histoire des armées bovines dans l'ancien Rwanda* et *Les milices du Rwanda précolonial*. Ces études complètent la riche bibliographie historique du Congo, du Rwanda et du Burundi, qui atteste le travail, digne d'admiration, réalisé par l'érudition belge.

4. L'historiographie moderne.

Dès le deuxième après-guerre, l'élite africaine s'est préoccupée d'examiner l'histoire des peuples noirs sous de nouveaux éclairages. Quelques érudits se sont distingués dans ce travail, notamment Cheikh Anta Diop et Abdoulaye Ly. L'indépendance politique, acquise vers 1960, s'est accompagnée du désir d'une certaine indépendance culturelle, dont l'africanisation des programmes est un aspect ; des manuels d'histoire, œuvres de professeurs africains, ont vu le jour.

Un bon exemple de recherche érudite fructueuse fut donné dès 1958 par la thèse d'Abdoulaye Ly, *La Compagnie du Sénégal* (Présence africaine, collection « Enquêtes et Études »), qui traite en réalité de l'ère des négriers, dans le dernier quart du XVIIe siècle. Abdoulaye Ly a effectué d'importantes recherches dans les archives départementales et dans les ports de l'Atlantique, surtout Saint-Malo et La Rochelle. Ces recherches ont été fécondes, puisqu'elles ont abouti à la découverte de documents aussi captivants que le rapport du capitaine de la *Victoire* fait par-devant l'Amirauté de Saint-Malo le 6 mars 1687 (pp. 245 à 248). L'activité n'est pas à vrai dire des plus intenses dans la période étudiée par Ly. Aussi ne doit-on pas s'étonner de ce que l'auteur conclut peu. Les entrepreneurs de l'époque sont des pionniers du commerce français sur la côte d'Afrique, et leur activité a l'apparence du bricolage comparée à celle des Anglais et des Hollandais installés sur la Côte-de-l'Or, lesquels traitent un volume d'affaires dix fois supérieur. Toute la misère du protectionnisme s'étale dans ces pages. L'ouvrage suit un plan rigoureux, avec de nombreuses divisions, qui lui donnent beaucoup de clarté. Le style est malheureusement un peu gauche et manque de grâce. *La Compagnie du Sénégal* a surtout le mérite d'offrir l'exemple d'un travail historique objectif, fondé sur des recherches personnelles inattaquables. Il est souhaitable que cet exemple soit suivi par de nombreux étudiants africains.

Du côté de l'enseignement, Djibril Tamsir Niane est, avec J. Suret-Canale, l'auteur d'une *Histoire de l'Afrique Occidentale* qui fut d'abord destinée aux écoliers guinéens. On note à l'actif des auteurs de bons chapitres sur l'organisation des sociétés noires et sur les empires peuls musulmans. Les chapitres consacrés à la résistance des Africains à l'occupation européenne sont également instructifs. La chronologie, les indications bibliographiques et celles qui sont relatives aux sources sont un peu défectueuses. Comme chez Majhemout Diop et Madeira Kéita (« Le Tiers-Monde », article publié dans *L'Essor*, de Bamako, en 1960), on trouve dans cet ouvrage, imprégné de l'idéologie marxiste-léniniste, une sympathie caractéristique pour la religion traditionnelle : « Ainsi, les Bambaras de Ségou restés animistes comme les Mossi ont contribué à maintenir les vieilles traditions africaines. » (P. 50.) Par ailleurs, ce manuel d'Etat est trop manifestement destiné à faire pièce à l'ancienne *Histoire de l'Afrique Occidentale Française*, de Jaunet et Barry : la substitution systématique du titre « Les Français au... » (Sénégal, Soudan, etc.) par le titre « La résistance au... » (Sénégal, Soudan, etc.) est caractéristique.

Le professeur ivoirien Assoi Adiko, en collaboration avec André Clérici, a donné une *Histoire des peuples noirs* (C.E.D.A., Abidjan, 1961). Le Malien Bakari Kamian est l'auteur d'une très officielle mais consciencieuse *Connaissance de la République du Mali* (Secrétariat d'Etat à l'Information et au Tourisme, Bamako, 1961). Le R.P. Engelbert Mveng a réalisé une monumentale *Histoire du Cameroun* (Présence Africaine, 1964) qui constitue la plus importante monographie nationale publiée à ce jour par un auteur africain ; l'accueil de la critique a été très favorable. Le Voltaïque Joseph Ki-Zerbo prépare un ouvrage général sur l'histoire africaine.

On sait que des travaux parallèles se poursuivent en Europe (Robert Cornevin notamment). D'utiles confrontations pourront être faites dans quelques années.

En 1968, l'africanisation des programmes d'histoire de l'enseignement secondaire est acquise. De nombreux manuels ont vu le jour, tel celui de Sékène Mody Cissoko, *Histoire de l'Afrique Occidentale* (Présence Africaine, 1966) qui traite des événements antérieurs à 1864, date de la disparition d'El Hadj Omar Tall.

5. Les mémorialistes.

Les mémoires historiques figurent parmi les textes les plus recherchés et les plus lus de notre époque. Par « mémoire historique », nous entendons tout écrit par lequel un homme confronte sa trajectoire vitale avec celle des hommes qu'il a rencontrés et avec l'évolution des sociétés qu'il a traversées. C'est encore à travers ces textes, et malgré d'inévitables plaidoyers pro domo, que la vérité humaine se perçoit le plus aisément.

Les mémoires demeurent rares en Afrique Noire d'expression française où l'on préfère témoigner sous le couvert de la fiction : roman autobiographique ou mémoires réputés imaginaires, dans lesquels le nom du narrateur n'est pas celui de l'écrivain.

Le recueil de Lamine Gueye (né en 1891 à Médine près de Kayes, mais fils en réalité de Saint-Louis du Sénégal) intitulé *Itinéraire africain* (Présence Africaine, 1966) constitue un timide mais précieux essai de mémoire historique.

En une quinzaine de textes, Lamine Gueye relate les grands événements politiques dans lesquels il a joué un rôle actif entre 1920 et 1965. Les chapitres intitulés « Les activités de la jeunesse africaine » et « L'Election de Blaise Diagne » traitent même de faits antérieurs à 1920 et sont parmi les plus intéressants du recueil ; ils montrent comment l'esprit de la Conquête fit place, non sans heurts, à une certaine volonté d'assimilation, qui avait alors son mérite. Ainsi que les chapitres suivants, ils mettent en relief le rôle directeur des communes de plein exercice du Sénégal (Saint-Louis, Dakar, Rufisque et Gorée) dans l'émancipation politique et culturelle de l'Afrique francophone. Tout ce qui se rapporte à la formation des jeunes élites est particulièrement instructif : batailles autour de diplômes difficilement accessibles pour des raisons en partie administratives, rôle de l'Ecole normale de Saint-Louis (future E.N. William Ponty), rôle des élèves africains de l'école vétérinaire d'Alfort, importance des écoles coraniques au Sénégal.

Dans l'ensemble, ces mémoires font trop de place à des documents que l'on peut trouver ailleurs ; ils résument trop souvent des tractations politiques suffisamment connues. Çà et là, on trouve néanmoins des pages plus personnelles, telles celles qui concernent « L'éclipse de Vichy » ; leur clarté et leur précision font regretter que l'auteur ait fréquemment abandonné la voie de l'autobiographie pour brasser un cocktail de droit et d'anecdotes.

6. Le roman.

La littérature romanesque de l'Afrique Noire d'expression française se prête mal aux généralisations. La plupart des œuvres ont une tournure et une tonalité bien personnelles. Certaines préoccupations sont cependant communes à tous les romanciers : le passé colonial, la crise provoquée dans la société africaine par l'apparente réussite du rationalisme d'origine européenne, la distorsion créée par la trop lente diffusion de l'instruction primaire.

Nous passerons successivement en revue, en allant du simple au complexe, le roman à tendance autobiographique, le genre des mémoires fictifs (avec J. Ikellé-Matiba), le roman de mœurs modernes, le roman à tendance moralisante ou polémique, le roman satirique (avec Ferdinand Oyono), le roman psychologique (avec Olympe Bhêly-Quénum), l'œuvre de Mongo Beti, dominée par l'humour, mais ouverte sur tous les problèmes importants, et enfin le roman philosophique.

Le roman à tendance autobiographique.

Laye Camara (né vers 1928 à Kouroussa, Guinée) s'est fait connaître en 1953 par *L'Enfant noir* (Plon). C'est un récit à tendance autobiographique dans lequel se trouvent narrées sous la forme personnelle l'enfance et la vie d'écolier d'un fils de forgeron guinéen ; le récit se termine au moment où le jeune étudiant, nanti de ses brevets, prend l'avion, boursier, pour aller poursuivre sa formation dans une école technique de la région parisienne. L'auteur a dédié lyriquement ce premier roman à sa mère. Cet amour filial pour la mère — qui répond au don total que celle-ci fait d'elle-même à son enfant — devait être noté au moins une fois au cours de cette étude, car c'est un élément caractéristique de la sensibilité noire. *L'Enfant noir* a surtout été apprécié en France pour sa fraîcheur, et l'on s'est étonné de voir capté avec une telle perfection le génie discursif du français classique, étonnement d'autant plus grand et fraîcheur d'autant mieux sentie que cette langue n'est plus de mode. *L'Enfant noir* vaut aussi par les caractères vivants qu'il décrit et le relief qu'il donne à la civilité souvent méconnue qui règne dans la brousse de l'intérieur. Le livre de Camara n'est d'ailleurs pas purement idyllique (la brutalité de l'enseignement en brousse y est par exemple dénoncée) et la formule satirique « Afrique noire, littérature rose » (Présence Africaine, avril-juin 1955) n'était pas entièrement justifiée.

En 1966, Camara Laye a publié une suite de *L'Enfant noir* sous le titre *Dramouss* (Plon), encore que le personnage central des deux livres ne soit pas expressément le même. Le chapitre « Une nuit blanche » contient de nombreuses notations concernant la vie de Camara Laye dans la région parisienne au début des années 50. On trouve également dans *Dramouss* la redécouverte de la Guinée et de ses traditions après un long séjour en Europe, ceci à l'époque de la loi-cadre ; l'action se déroule successivement à Conakry et à Kouroussa. C'est dans cette dernière ville que Fatoman prend un contact plus étroit avec le parti politique dont l'action devait ensuite dominer la vie guinéenne (chapitre : « Une réunion de comité »). Un certain autoritarisme le rebute. Dans une dernière partie, Fatoman fait un rêve plein de symboles, dans lequel Dramouss, personnification du génie de l'Afrique aux divers visages, lui apparaît et lui révèle un avenir de souffrances suivies d'une élévation miraculeuse vers un monde idéal.

Avec *Dramouss,* il n'est plus possible de reprocher à Camara de se désintéresser de l'avenir du monde noir ; le livre est dédicacé aux jeunes du continent à qui l'on demande d'entendre l'appel d'une « Afrique authentique, consciente et résolument engagée dans la voie de sa sagesse tutélaire et de la raison ». La coexistence du réel et du fantastique donne une saveur assez étrange à *Dramouss*, qui reste une œuvre belle et courageuse.

Climbié (1956), de Bernard B. Dadié (Ivoirien, né en 1916), fut rédigé à la même époque que *L'Enfant noir* et faisait une large place à la critique de la situation coloniale. C'est une œuvre écrite avec correction, sèchement réaliste. Tandis que Laye Camara est, dans une large mesure, « *l'Enfant noir* », Dadié demeure hors de son personnage ; Climbié est un motif, le type du fonctionnaire moyen des années 30 à 50, une entité sociologique plutôt qu'un homme vivant. Ce document était néanmoins précieux ; la critique qui était faite de la volonté française d'assimilation (interdiction des dialectes locaux dans les écoles, par exemple), de l'isolement des ménages européens, de la justice pénale française notamment, méritait d'être prise en considération. Ce roman montrait d'autre part quel pouvait être l'état d'esprit des jeunes hommes qui n'avaient pu, comme le héros de Camara, poursuivre leurs études en France et végétaient en conséquence dans les postes subalternes de l'administration locale. La vie de Climbié, sinon son inquiétude, était celle d'une partie de la société africaine lettrée ; le malaise spirituel qu'évoque ce roman n'a pas entièrement disparu après 1958.

Le rescapé de l'Ethylos (Présence Africaine, 1963) est une œuvre écrite à la fin de l'époque de l'Union française. Elle est l'autobiographie, assez peu romancée, semble-t-il, du médecin Mamadou Gologo, qui a occupé d'importantes fonctions dans le gouvernement malien après 1958. Ce livre est en grande partie une confession, qui relate successivement les années d'études de l'auteur, sa carrière professionnelle d'abord compromise par l'alcoolisme, puis sa guérison, due à un marabout de Konina (cercle de Koutiala). Ce dernier fait étonnera beaucoup le lecteur européen, mais sera considéré comme assez banal par quiconque vit dans la société africaine ou près d'elle. Le drame de l'alcoolisme dans l'élite forme le sujet du livre. Ce message doit être médité. On retiendra encore de ce roman la valeur de la peinture du monde noir. Cette peinture est vivante, précise, sincère, et témoigne d'une sensibilité intense confinant souvent à la passion ; ces qualités sont aussi celles du style, mais celui-ci traduit quelquefois un contrôle insuffisant des sentiments. La situation coloniale est dépeinte et condamnée sans excès.

Thomas R. Kanza (né vers 1934) fut l'un des premiers universitaires noirs de l'ex-Congo Belge. Son roman *Sans rancune* (publié à Londres vers 1964 et diffusé en France par Présence Africaine) comprend deux parties : la première traite de la vie d'un jeune clerc, fils d'un chef de tribu, au Congo ; la seconde relate l'expérience de ce même jeune homme (Kabuku) devenu étudiant dans une université belge. L'ensemble est correctement écrit mais reste guindé. Une sorte d'immaturité affective l'imprègne.

Le récit *Un enfant du Tchad* (SOGEREP, l'Afrique actuelle, 1967) de Joseph Brahim Séid (né en 1927, à Fort-Lamy semble-t-il), qui nous a paru remarquable par sa sincérité et sa fraîcheur, fournit un bon exemple de la formation d'un homme d'élite appartenant à la génération de 1928. Abakar, le héros du récit, se distingue toutefois par une virilité très combative qui le conduit à la rébellion, à l'indépendance et lui permet d'acquérir finalement une culture assez originale. Le plus curieux est que, malgré ces traits de caractère, Abakar se sente passionnément attaché à la tradition africaine, qui n'est pas libérale dans son essence. L'autobiographie du turbulent et peu commode Abakar permet au lecteur de prendre un vivant contact avec la vie des quartiers musulmans du vieux Fort-Lamy, de comprendre ce qu'est la découverte des vertus de l'Islam et du christianisme par un jeune citadin, de suivre le héros dans son exil soudanais puis égyptien, de profiter enfin de son expérience de magistrat tchadien. L'ensemble constitue un document sociologique de valeur qu'éclairent de beaux sentiments. Nous avons particulièrement aimé le récit de l'idylle de Natoudji et du juge de Moundou.

Des mémoires exemplaires.

Cette Afrique-là, de Jean Ikellé-Matiba.

Un beau livre publié par Présence Africaine en 1963 mérite une mention particulière. *Cette Afrique-là* n'est pas exactement une chronique, comme tendrait à le faire croire le titre de la collection dans laquelle figure l'ouvrage. Une chronique est écrite au présent. *Cette Afrique-là* traite au contraire de l'histoire coloniale du Cameroun vue par un homme âgé qui a fait de longues et profitables études sous l'administration allemande, avant 1914. Il s'agit donc en réalité de Mémoires que l'on est tout surpris de savoir fictifs. Le texte est daté du 26 janvier 1955. Il porte la dédicace . « A ma sœur. A la mémoire des hommes de la génération de mon père. »

Cette Afrique-là possède deux qualités majeures. Elle est l'expression d'une morale élevée. Elle est écrite avec simplicité. C'est une œuvre qui réconforte. Elle le doit sans doute en partie à la foi évangélique très pure qui anime le narrateur, mais elle le doit surtout au sens de l'honneur dont fait preuve le protagoniste, Franz Mohma. Elle montre comment un homme profondément enraciné dans la vie peut demeurer digne en toutes circonstances. On s'étonne au demeurant qu'un homme de vingt-six ans ait pu écrire un tel livre ; la promesse est grande.

Le style est également remarquable. Les phrases sont courtes. L'adjectivation, empruntée à la langue courante, est mesurée et parcimonieuse. Tout cela donne à l'expression austérité et énergie. Aucune vulgarité, aucune contorsion de mauvais goût. Le texte nous a paru sans aspérités pour le lecteur français.

La morale et le style relèvent d'un même souci : celui de la tenue. *Cette Afrique-là* constitue à notre avis une œuvre didactique de premier ordre.

L'intérêt documentaire de l'ouvrage est considérable, et l'on peut en particulier s'attendre à ce qu'il soit rapidement traduit en allemand. Le témoignage paraît objectif. Fort triste, il est de nature à peser sur la conscience des lecteurs allemands et français. Franz Mohma éprouve estime et sympathie pour les maîtres de sa jeunesse. Ces maîtres avaient en l'homme une foi d'un autre âge et voulaient que, par la science et l'ordre, il régentât l'univers. Cette foi en l'homme exclut trop souvent le respect envers les hommes : elle devient alors cruauté. C'est ce que montre *Cette Afrique-là* en maints passages. La colonisation française, elle, paraît, à travers ce livre, avoir souffert d'un certain abus de la confiance que l'administrateur plaçait en ses subordonnés africains (commis, interprètes, chefs traditionnels ou non). Mômha, le narrateur, prise plus la rigueur germanique que la liberté, non exempte de légèreté, des mœurs françaises. Celles-ci auraient favorisé la vénalité du fonctionnariat noir, source de graves dommages pour le corps social.

Œuvre qui déplore plus qu'elle n'accuse. *Cette Afrique-là* invite à méditer sur l'avance qu'a prise la littérature camerounaise dans l'ensemble des pays francophones d'Afrique Noire. Le Cameroum possédait le meilleur romancier africain avec Mongo Beti, l'un des meilleurs romanciers satiriques avec Ferdinand Oyono, d'estimables écrivains sociaux avec Owono et Matip. Il nous donne maintenant les Mémoires d'un sage, tout imprégnés de la sérénité goethéenne que l'on peut trouver dans *Hermann et Dorothée* ou dans *Poésie et vérité.* On peut se demander si cette vigueur littéraire n'est pas due en partie aux circonstances historiques fortuites qui ont fait se succéder et coexister dans cette partie de l'Afrique occidentale des cultures européennes d'esprit différent.

Le roman de mœurs modernes.

Ousmane Socé fut le créateur du roman urbain, avec *Karim, roman sénégalais,* en 1935. Ce n'était pas le roman social combatif d'aujourd'hui. Néanmoins, Ousmane Socé montrait bien les difficultés de vie de cet employé de commerce saint-louisien célibataire, et faisait mention des malentendus courants, « banals », entre blancs et noirs. Le véritable sujet de *Karim,* ainsi que l'indiquait le sous-titre c'était la vie du jeune lettré sénégalais (et plus particulièrement de Saint-Louis), de condition modeste. Le caractère léger, généreux et chevaleresque du Ouolof était agréablement présenté. L'élément féerique et légendaire, introduit dans ce roman réaliste, lui donnait une curieuse note d'ingénuité. Avec Karim, le lecteur traversait la brousse sénégalaise, bien caractérisée, et visitait le Dakar traditionaliste, le Dakar évolué, Rufisque, Gorée enfin, où il assistait à un bal faisant autant de place aux *goumbés* qu'aux danses européennes imprégnées d' « émotivité latine ».

Le Rufisquois Abdoulaye Sadji (1910-1961) fut lui aussi un pionnier, avec *Nini,* roman publié dans les premiers numéros de la revue *Présence Africaine* (1947) et repris dans le recueil *Trois écrivains noirs. Nini* est un document social écrit avec sécheresse mais non sans art. Le milieu décrit est celui de la petite bourgeoise métissée de Saint-Louis-du-Sénégal, mal à l'aise entre l'aristocratie ouolove (noire) et les Européens qui ne font que passer. Les caractères féminins (Nini, Madou, les dames âgées) sont fouillés, de même que les peintures d'intérieur. Les lieux de réunion de l'époque le
que les peintures d'intérieur. Les lieux de réunion de l'époque, le Club », sont caractérisés avec précision. Le livre, dans son ensemble, paraît fort objectif.

Maïmouna (Présence Africaine, 1958) est le chef-d'œuvre d'Abdoulaye Sadji. Ce roman a pour sujet une situation assez répandue dans la société africaine transitoire qui est celle de notre temps. Maïmouna, jolie jeune fille de la petite ville de Louga, est appelée à Dakar par sa sœur, se laisse séduire par le faste d'un milieu assez vaniteux et se donne à un jeune étudiant qui l'abandonne ; ayant repoussé l'appui généreux de son fiancé, déshonorée, défigurée par la variole, Maïmouna reprendra sa place de petite commerçante sur le marché de Louga. Abdoulaye Sadji n'accable personne : il se borne à montrer comment la légèreté d'esprit, qui se manifeste dans la recherche des satisfactions les plus éphémères, engendre le drame. Les caractères droits, nobles, sont dépeints avec une tendresse sobre. *Maïmouna* constitue l'une des meilleures présentations de la vie urbaine au Cayor et de la vie de certains fonctionnaires moyens à Dakar, On retiendra, parmi les pages les plus vivantes, la soirée de la Maouloud chez Bounama (pp. 104-109). Sadji s'était acquis, avec *Maïmouna,* la réputation d'être un excellent peintre de la femme sénégalaise ; les détails de valeur sur la vie quotidienne et la psychologie des femmes et jeunes filles abondent en effet dans cette œuvre, mais on doit regretter le complet escamotage de la liaison Maïmouna-Doudou Diouf, qui constitue pourtant le fait capital de l'intrigue.

Le roman social et réformateur.

Le roman social, réformateur et documentaire, est cultivé partout en Afrique. Il s'attaque aux problèmes que pose le passage de la société ancienne — patriarcale et mystique — à la société nouvelle fondée sur la raison et sur le respect de la liberté individuelle. Il présente donc des conflits entre générations, qui sont en même temps des conflits entre les intellectuels illettrés de l'ancien temps — les sages selon la tradition — et les intellectuels nouveaux, lettrés en français, sortis des écoles. La situation de la femme et le problème de la liberté du mariage sont au cœur du débat. Le roman social se double donc en général d'un roman sentimental : le roman descriptif et idéologique côtoie le roman de cœur. A cet égard, la situation n'est pas sans rappeler celle du XVIIIe siècle européen.

Le roman social est représenté notamment par *Le fils du fétiche* (David Ananou), *Afrique, nous t'ignorons* (Benjamin Matip), *Tante Bella* (Joseph Owono), et *Kany* (Seydou Badian Kouyaté). A cette tendance se rattache aussi le roman inédit de Roger Nikiéma, *Dessein contraire,* que publia vers 1961 en feuilleton l'hebdomadaire *Carrefour africain* (Ouagadougou, Haute-Volta).

Le fils du fétiche (Nouvelles Editions Latines, 1955), du Togolais David Ananou, fait sommairement l'histoire des deux générations en pays ewé. La vie quotidienne est retracée avec une grande chaleur de sentiment. On note dans ce livre, modèle du roman documentaire, une intention didactique modérée (hygiène, préceptes chrétiens).

Afrique, nous t'ignorons, de Benjamin Matip (Editions R. Lacoste, 1956), est un fragment de roman qui présente agréablement la vie campagnarde du Sud-Ouest du Cameroun. L'action, inachevée, se déroule en 1939, au moment de la déclaration de guerre. Elle consiste en une révolte de la jeunesse contre l'égoïsme et le laisser-aller des Européens, d'une part, contre l'autorité des conseils d'anciens, d'autre part. Cet ouvrage incomplet, qui paraît être une œuvre de jeunesse, n'est pas écrit avec une parfaite correction.

Tante Bella, roman d'aujourd'hui et de demain (Librairie « Au Messager », Yaoundé), du Camerounais Joseph Owono, est le plus important, par son volume et par sa forme, des romans sociaux réformateurs. Le roman a pour but d'appuyer le combat que mène l'auteur pour l'amélioration de la situation de la femme noire et la réforme du système dotal en vigueur. Le livre est divisé en deux parties : un « Prologue », qui introduit le lecteur dans la société africaine de Yaoundé (milieu de fonctionnaires moyens), et le roman proprement dit, « Tante Bella », lu par l'un des assistants au cours d'une réunion. Tout l'ouvrage abonde en tableaux de mœurs détaillés et tracés avec art. Le roman proprement dit constitue une biographie bien conduite, riche en détails folkloriques, ethnographiques et historiques. L'intensité sentimentale est grande. L'auteur rend avec force l'atmosphère de haine et de tromperie qui, selon lui, entoure l'aristocratie polygame traditionnelle. Certaines pages ont, d'autre part, une remarquable intensité dramatique qui ne doit rien à la polémique : parmi les mieux venues, il faut citer celles qui retracent l'enlèvement de Bella et la mort de sa mère Abena (p. 158), ainsi que le chapitre XIII sur la guerre du Cameroun. Par l'exactitude documentaire, le soin du détail, la force de l'intrigue, la beauté de la figure féminine centrale, *Tante Bella* se rapproche de *Doguicimi,* le chef-d'œuvre du roman classique africain. Le style, malheureusement, n'a pas toute la perfection désirable ; il existe des maladresses et des fautes de syntaxe.

Par son sujet — le mariage forcé et le conflit des générations — l'ouvrage incomplet du Malien Seydou Badian Kouyaté, *Sous l'orage* (*Kany*), édité par les Presses Universelles (Avignon, 1957), puis par Présence Africaine, s'inscrit dans la ligne du roman social. Bien écrit, ce petit livre est riche d'idées qui s'expriment dans des dialogues à caractère politique et économique (pp. 80-86 : dialogue dans le train ; 116-119 : dialogue entre des jeunes gens et un directeur d'école) ainsi que dans des lettres morales (lettre de Tiéman à Sanou, pp. 127-128). Les tableaux de mœurs sont riches en détails significatifs sur la vie dans la région de Bamako.

Il est logique de rattacher à la littérature réformatrice la longue nouvelle d'Olympe Bhêly-Quenum, *Le chant du lac,* éditée par Présence Africaine en 1965. Les riverains du lac (qui pourrait être le lac Nokoué, près de Cotonou) croient en l'existence d'un couple de dieux aquatiques qui dévorent les voyageurs par les nuits de brume et de remous. Ces dieux ont leurs sectateurs, qui entretiennent une certaine terreur dans l'esprit des habitants. La commerçante Noussi, ses enfants Codjo et Bénoumi, le piroguier Fanouvi, auront le courage d'affronter les dieux et les tueront en se défendant. Ainsi prendra fin le mythe funeste qui paralysait les esprits et retardait le progrès (la motorisation des pirogues, par exemple). Utilisant la technique unanimiste (comme Sembène l'avait fait dans *Les bouts de bois de Dieu*), Bhêly-Quenum parvient, en un faible volume, à donner un aperçu de l'animation politique dahoméenne, à décrire aussi bien l'attitude critique des étudiants que celle des anciens nobles conscients de la nécessité d'une révolution rapide, à évoquer de la façon la plus tendre la solidarité d'un foyer moderne.

Sur le plan artistique, *Le chant du lac* constitue une entreprise hardie et réussie. L'action se déroule exactement en un jour — d'une aube à la suivante. Le lac et sa rive forment le cadre unique du récit. Une fusion presque parfaite est réalisée entre le raisonnable, le magique et mythique.

Ousmane Sembène : un romancier militant.

L'œuvre d'Ousmane Sembène s'inscrit tout entière dans le cadre du roman social didactique, mais elle a un caractère politique et apologétique qui, joint au souffle soutenu qui l'anime, lui confère une place spéciale.

En tant que romancier, Ousmane Sembène est avant tout un homme de foi. Son œuvre a la fraîcheur et l'agressivité des églises naissantes. Sa foi paraît émaner du marxisme-léninisme. Jusqu'à ce jour, les thèmes de ses romans ont été la situation coloniale et l'accession des Etats africains à l'indépendance. Tout y est vu de façon tranchée, en noir et blanc. Son dernier livre, *L'harmattan*, aborde, avec le même dogmatisme et la même passion, la vie politique des nouveaux Etats africains.

Le parti pris d'Ousmane Sembène peut enthousiasmer ou blesser. Il a des aspects positifs et ne saurait faire oublier ce qui est plus important dans son œuvre : la force dramatique et l'aptitude à douer finalement de vie des personnages de convention.

Ousmane Sembène (né à Ziguinchor en 1923) fut apprenti ouvrier à Dakar avant de faire les campagnes d'Italie et de France au cours de la seconde guerre mondiale. Libéré de l'armée, il fut docker et responsable syndical à Marseille. Cette expérience se reflète dans *Le docker noir* (Debresse, 1956) et dans différentes nouvelles du recueil *Voltaïque*.

Lorsque Sembène publia *Le docker noir*, en 1956, rien ne permettait de penser qu'il deviendrait l'une des figures importantes de la littérature africaine d'expression française. Très proche du mélodrame, *Le docker noir* relatait la vie à Marseille d'un docker syndicaliste qui tuait presque accidentellement une femme de lettres parisienne coupable de s'être approprié le manuscrit d'un roman qu'il lui avait communiqué, *Le dernier voyage du négrier Sirius* ; le corps du récit était inséré dans un cadre relatant le procès, la sentence et les réflexions du condamné. Dans ce premier roman, les défauts d'Ousmane Sembène apparaissaient sans atténuation : tendance systématique à l'idéalisation des uns et à l'avilissement des autres, tendance excessive au développement moralisant. Il s'y ajoutait d'assez nombreuses imperfections de forme, des raideurs (qui ne disparaîtront jamais tout à fait) et des gaucheries. En revanche, le milieu des travailleurs noirs de Marseille était peint avec précision, force et concision. *Le docker noir* méritait et mérite encore de retenir l'attention par sa valeur de document social et politique.

Les œuvres ultérieures d'Ousmane Sembène eurent l'Afrique pour cadre.

O pays, mon beau peuple ! (Amiot-Dumont. Le livre contemporain, 1959) décrit le combat courageux et malheureux du Casamançais Oumar Faye, marié à une Européenne, pour créer dans son pays une activité économique moderne et indépendante. Le combat se déroule à la fois contre les représentants de l'impérialisme (des commerçants racistes en l'occurrence) et contre les mauvaises habitudes de l'ancienne société française. Ce double combat se retrouve dans *L'harmattan*, notamment la révolte contre l'autorité paternelle. Oumar Faye, figure idéale analogue à celle de Diaw Falla, le docker noir, et de Bagayoko, le cheminot des *Bouts de bois de Dieu*, renonce à la pêche, activité de sa famille et de sa caste, pour adopter des méthodes modernes de culture et de commercialisation des produits. Cette entreprise donne matière à de nombreuses et suggestives remarques sur les relations de travail. Comme tous les héros de Sembène, Oumar Faye voit en la religion révélée l'ennemie de l'effort personnel : « Je désire mon paradis ici. » (P. 205.) *O pays, mon beau peuple !* est un des ouvrages de Sembène où l'ambiance africaine est le mieux dépeinte ; il est vrai que toute l'action se passe en Casamance, pays natal de l'auteur. Les scènes bien observées sont nombreuses ; les images sont parfois très personnelles, telle celle-ci : « la vapeur des nuages prenait la couleur de l'indigo dans l'eau savonneuse » (p. 95). La psychologie des personnages est plus nuancée que dans *Le docker noir,* malgré quelques faiblesses et vulgarités inutiles.

Le chef-d'œuvre d'Ousmane Sembène est à nos yeux *Les bouts de bois de Dieu* (Le livre contemporain, 1960). C'est un ouvrage de valeur exceptionnelle, tant par l'inspiration que par la composition et le style. Il occupe une place à part dans le roman social africain, dont il contient plusieurs éléments caractéristiques : scènes de mœurs et tableaux particulièrement bien observés (médina dakaroise, Thiès et Bamako), coexistence d'une mentalité traditionnelle et d'une mentalité moderne dans la société africaine actuelle.

L'auteur aime et respecte la tradition, qui s'incarne dans de très belles figures soudanaises : celles de la vieille Niakoro Cissé et de Fa Mamadou Kéita, le doyen des poseurs de rails. Les détails qui font l'originalité de la vie locale (politesse, formes de langage, croyances, vie quotidienne dans la concession) sont relevées avec soin, mais sans ostentation.

Les grands traits distinctifs des *Bouts de bois de Dieu* sont cependant ailleurs. Ils résident, d'une part, dans un début d'approfondissement psychologique (Tiémako, Bagayoko), d'autre part, dans le caractère proprement ouvrier et combatif du roman. Tout en faisant une place à la contemplation et au sentiment personnel, ce livre ne reflète en rien le goût bourgeois.

Le livre relate la vie et l'action des grévistes du Dakar-Niger du 10 octobre 1947 au 19 mars 1948. L'auteur mène de front le récit d'événements se déroulant à Bamako, à Thiès et à Dakar. Cette technique panoramique, « unanimiste », n'ôte rien à la caractérisation des personnes et des lieux. De maniement délicat, elle est ici appliquée avec art. Les épreuves et les souffrances des grévistes sont évoquées avec une grande puissance. Les scènes de violence sont particulièrement crues, et la pitié, le respect de la conscience humaine n'apparaissent guère dans ces pages. Les injustices, inhérentes à toute révolution et contre-révolution, sont présentées avec une relative objectivité.

Les femmes tiennent une très grande place dans le roman. Les femmes sénégalaises en particulier (Penda, Dieynaba, Ramatoulaye, Houdia M'Baye, N'Deye Touti) font preuve d'une résolution et d'une indépendance qui font contraste avec l'effacement et la soumission des Soudanaises présentées dans le récit. Certaines figures de jeune femme — Penda, N'Deye Touti — resteront longtemps dans les mémoires. A propos des sentiments de Bagayoko à l'égard de Penda, l'auteur évoque discrètement le problème de la polygamie et de l'amour. Il paraît conclure à leur compatibilité, mais cette opinion est sans doute trop exclusivement masculine.

En 1964, Ousmane Sembène a donné aux éditions Présence Africaine la première partie d'un gros roman, *L'harmattan.* Cette première partie est consacrée à la campagne du référendum de septembre 1958 dans un pays imaginaire qui vota en faveur de la Constitution et de la Communauté. Ce livre est le type du roman politique. On se gardera donc d'y chercher la vérité historique sans faire usage d'un fort esprit critique ; au reste, cette campagne eut une physionomie particulière dans chacun des Territoires de l'époque, et il était malaisé d'imaginer la synthèse à laquelle s'est livré Sembène. Un didactisme souvent fort raide, une psychologie souvent caricaturale, surtout en ce qui concerne les Européens, rappellent plus *Le docker noir* que *Les bouts de bois de Dieu.* Porté par la foi et la passion, Ousmane Sembène a cependant réussi à éviter les platitudes qui menaçaient son sujet ; il a écrit une sorte d'épopée. De plus, ce livre contient quelques pages inoubliables : ce sont celles qui concernent le catéchumène polygame Joseph Koéboghi, bourreau de son épouse Ouhigoué et de sa fille Tioumbé, animatrice locale du parti marxiste d'opposition.

Le roman satirique : Ferdinand Oyono.

Ferdinand Oyono (né en 1929 près d'Ebolowa, Cameroun) se fit connaître en 1956 par deux romans publiés coup sur coup chez Julliard : *Une vie de boy* et *Le vieux nègre et la médaille.*

Le premier de ces romans nous paraît surtout estimable par ses qualités de style — nerveux, limpide — et de composition. Le fond constitue, selon nous, une caricature très chargée du milieu colonial des années 50. La vie du chef-lieu de cercle décrite dans *Une vie de boy* est en effet une truculente émanation de tous les enfers. Les vedettes sont un commandant de cercle violent, flanqué d'une femme légère, un prêtre lubrique et sadique, un brutal régisseur de prison qui est aussi un séducteur, un commissaire de police désinvolte et gourmand, un médecin raciste (« ... 39°5 de température. Ce n'est pas grave pour eux... »). Tous ces personnages ont une âme de tortionnaire. L'ensemble baigne dans une atmosphère de sexualité obsédante, qui déforme elle aussi la réalité.

Une vie de boy donnait l'image de la vie coloniale vue par le domestique d'un administrateur européen. *Le vieux nègre et la médaille* décrit le désenchantement d'un vieux collaborateur de l'administration européenne et des missions à la suite d'une aventure qui montre l'insignifiance de la récompense officielle dont il est l'objet. On trouve certes dans ce roman, excellemment écrit, une fréquente recherche de l'effet d'indignation ; on y trouve aussi le cocasse et le grotesque dont Oyono a le secret, mais on y apprécie surtout une grande tendresse qui fait du vieux Meka la figure la plus attachante, la plus digne, la plus humaine de toute l'œuvre du romancier camerounais ; Meka n'éprouve que lassitude après avoir vu disparaître son espoir en la naissance d'une fraternité vraie. La société européenne n'apparaît plus ici qu'incidemment, et les faiblesses de certains de ses membres s'y manifestent avec vraisemblance. La société africaine — celle de Meka, christianisée, bien pensante, malicieuse, gaie, spontanée — est peinte de façon vivante, surtout à travers de savoureux échanges de propos. Comme Mongo Beti, Oyono donne des scènes magistrales de la vie populaire africaine dans lesquelles l'expression orale tient une grande place.

En 1960, Oyono a publié *Chemin d'Europe*, chez Juillard également. Le style, toujours correct, est plus recherché que celui des romans précédents ; l'abondance des artifices laisse parfois une impression désagréable. La satire d'Oyono, comparée à celle de Mongo Beti, a la particularité d'être sans gaieté. Elle anéantit plutôt qu'elle ne ridiculise. Elle est plus cocasse que comique. Son mouvement, très vif, est plus externe qu'interne, tient plus au style qu'à l'inspiration. Ce style est d'ailleurs très personnel. En voici quelques illustrations :

« Ma mère s'était mise à fabriquer clandestinement de l'alcool de maïs, et cette répréhensible industrie suffisait à nous nourrir. Je pus, enfin, me mêler aux jeunes gens de mon âge. Certes, j'étais souvent en proie à des pudeurs subites, à des tergiversations de dernière minute n'aboutissant qu'à ridiculiser les études à travers moi qui, au regard de la fraîcheur de mes camarades, de leur brusquerie tout animale, n'était plus qu'une sorte de lourdaud inactif, de cuistre ratiocineur, les consolant de n'être point devenus d'abouliques latinistes et dont ils n'hésitaient pas à railler la moindre jactance ; mais par dépit, par une espèce de fanfaronnade désespérée, je m'incrustais, apparemment calme dans leur groupe bruyant, famélique et miteux, piaffant au-dessus du grand escalier de la boucherie d'où nous surveillions la faune habituelle des marchés, le cou tendu, pendule oscillant d'un bout à l'autre de la petite place, en quête d'un portefeuille qu'on fourre distraitement dans une poche revolver... Parfois, nous nous délections des bonds douloureux d'un flic indigène farfelu, éléphantesque, virevoltant sur lui-même, yeux exorbités à la recherche du dard invisible qui venait de lui harponner l'un des arcs de graisse de son derrière d'amphibie... » (*Chemin d'Europe*, pp. 109-110.)

« Ces chevaliers de l'Aventure, des deux sexes et de tous âges, nous arrivaient, hors d'haleine, la mine épanouie. On avait l'impression qu'une usine les catapultait ici, le cou tendu, autour duquel on avait glissé l'étui d'une caméra qu'on leur vissait ensuite à l'œil, figeant ainsi dans une indistincte mimique leur visage qu'ombrait un énorme casque de liège. Alors, téléguidés, pétris d'un enthousiasme facile éclatant à l'amoncellement des ténèbres comme au déchaînement subit d'un orage, devant quelque pauvre diable, un singe, une femme nue ou un fou, ils étaient là, aux aguets, à la recherche des rites, prompts à dévisser le capuchon de leur stylo, à pister le sauvage ,le bon sauvage de leur enfance vierge des stigmates du temps : le « Bamboula ! » et à écrire un livre, un grand livre, qui n'eût jamais été écrit sur ce pays et dont le titre ricochait aussitôt sur le zinc du toit avec les bouchons de champagne, parlant de ce continent dont ils étaient tous aptes à saisir et à expliquer, tout de go, l'unique et l'inexprimable ! » (*Chemin d'Europe*, pp. 114-116.)

Alors que les personnages centraux de Mongo Beti sont des adolescents lettrés, des lycéens notamment, ceux d'Oyono sont plutôt des domestiques éveillés, plus ou moins occasionnels, ayant parfois, comme le Barnabas de *Chemin d'Europe*, une instruction primaire confirmée. Ce choix favorise l'éclairage très cru que l'auteur entend jeter sur la mentalité de l'Européen qui se trouve en rapport avec l'Afrique. Il favorise moins l'objectivité des observations et des jugements : l'art d'Oyono déforme très sensiblement la réalité, mais a le mérite de mettre en relief quelques-uns de ses aspects.

Par son goût de la caricature et une certaine cruauté, Oyono est un auteur apte à donner à l'Afrique d'expression française le grand roman picaresque qu'elle attend. Le picaro — que l'on peut définir « un vagabond débrouillard » — est un personnage très actuel dans les sociétés africaines en formation. Il est le produit de la désagrégation du système familial ancien. C'est le petit porteur chapardeur du marché, l'éternel apprenti chauffeur, le réparateur de bicyclettes, le jeune cultivateur qui s'expatrie vers les plantations lointaines, le petit « tablier » (marchand sur table), l'ancien élève du cours moyen, voire de la classe de quatrième, qui cherche partout fortune. Le picaro africain est très libre d'allure et de langage. Sa liberté est celle des gens qui n'ont rien à perdre et ne désirent pas devenir honorables à tout prix. Le picaro apparaît épisodiquement dans les romans de Laye Camara et de Mongo Beti, mais c'est sans doute le Barnabas de *Chemin d'Europe* qui — sous certaines réserves (niveau intellectuel élevé, désir d'étudier en Europe) — se rapproche le plus du picaro typique. En 1967, le Sénégalais Malick Fall a publié aux éditions Albin Michel un véritable roman picaresque, *La plaie*, dont le héros, nommé Magamou Seck, prisonnier de la ville, vagadonde dans le cadre étroit d'un marché de Saint-Louis et de ses environs immédiats. Par l'importance du grotesque, ce roman s'apparente aux œuvres d'Oyono. Il s'en distingue par ses prétentions morales ; par instants, Magamou est un philosophe grave et pitoyable.

Le roman psychologique.

Un piège sans fin, d'Olympe Bhêly-Quénum.

Cette œuvre d'Olympe Bhêly-Quénum (né en 1928 au Dahomey) fut publiée chez Stock en 1960. C'est un roman de mœurs qui décrit avec brièveté et concision la vie des cultivateurs-éleveurs du Nord-Dahomey. Son intérêt spécifique nous paraît cependant résider dans l'approfondissement de certains comportements individuels et, secondement, dans la perfection de l'écriture.

Ce roman relate la vie d'Ahouna Bakary, le noble paysan dont la femme avait troublé l'esprit. Un mystère, qui reste inexpliqué, donne son atmosphère particulière à l'ouvrage : la haine qui naît dans l'esprit d'Anatou à l'égard de son mari après de nombreuses années de mariage et de bonheur. Cette haine transforme elle-même rapidement l'esprit de l'homme et crée en lui une obsession qui conduit au meurtre gratuit. Bhêly-Quénum a touché un point sensible — très actuellement sensible — de l'âme africaine. Les communications spirituelles intimes entre les sexes sont souvent difficiles, et cette difficulté se trouve au fond de bien des drames, moins voyants sans doute, mais non moins poignants que celui que relate *Un piège sans fin.* Autour de ce thème central, traité avec une grande discrétion, s'ordonnent des esquisses précises de la psychologie de l'Afrique ancienne : celle des relations d'un chef de canton intelligent. Houra'ïnda, avec l'administration, c'est-à-dire la force ; celle de la justice ancestrale, représentée dans son aspect noble par Dâko, le nonagénaire qui connaît la valeur de l'oubli respectueux, et, dans son aspect cruel, plus humain, par Houngbé, le vengeur ; celle de la foi dans les forces occultes maniées ou révélées par le devin Fâ Aïdégoun. Ce roman ne laisse pas la situation coloniale dans l'ombre ; il la traite avec objectivité ; aux commandants de cercle cruellement mécanisés font pendant des administrateurs raisonnables ; le commissaire Toupilly, méprisant, violent et sensuel, est flanqué de Mauthonier, soucieux de compréhension et d'exemplarité vraie.

Il n'y a pas lieu d'insister sur le fait qu'*Un piège sans fin* est, quant à l'écriture, un modèle de correction. Les soins de l'auteur, sont évidents, et c'est avec raison que ce roman figure pami les toutes premières œuvres sélectionnées par la série « Littérature africaine » des classiques Fernand Nathan.

Ceci dit, il est juste de signaler qu'*Un piège sans fin* souffre de quelques défauts. La composition est peu harmonieuse. Trois récits se superposent assez maladroitement, celui du narrateur, un sociologue archéologue dans lequel on peut reconnaître plusieurs Dahoméens éminents, ceux d'Ahouna et de Camara. Une relation impersonnelle s'allie au récit subjectif de façon un peu artificielle. Il est vrai que la forme de la confession était imposée dans une certaine mesure par le souci d'analyse psychologique. A partir du chapitre XIV, apparaissent quelques invraisemblances fâcheuses ; en l'espace de soixante-douze heures, les carrières sont successivement le théâtre des faits suivants : Cossi a un œil crevé (malgré ce traumastisme, que l'on peut supposer éprouvant, il fera deux heures plus tard une longue marche et consolera, sans effort apparent, sa camarade Sica) ; le même jour, le doux Favidé disparaît sous un rocher ; le surlendemain, le même accident arrive à Boullin et à un autre forçat. On peut s'étonner qu'à ce rythme la colonie pénitentiaire n'ait pas été anéantie depuis longtemps. Il est enfin invraisemblable que Houngbé, le frère de Mme Kinhou, ne soit pas connu des autorités de police et de justice (cette dernière invisible) de Ganmê, et que celles-ci puissent un seul moment supposer qu'un oncle maternel a volé du petit bétail au préjudice de ses neveux.

La plaie, de Malick Fall.

Nous avons déjà mentionné ce roman (1967) à propos de Ferdinand Oyono et du roman picaresque. Il faut le citer de nouveau ici car Malick Fall a fait, dans ce livre, œuvre de sociologue et de psychologue. Il a tenté de pénétrer dans l'âme complexe du « raté » Magamou dont le sentiment dominant oscille entre la fierté isolante, symbolisée par sa « plaie », et l'amour de ses semblables. Finalement vaincu par l'indifférence de la société urbaine, Magamou retombe dans son anarcho-aristocratisme initial. Malick Fall a très justement perçu les contradictions de l'âme simple, populaire ; il a, en outre, tracé dans ce livre d'intéressants portraits parmi lesquels se détache celui de Cheikh Sar, le faux serviteur de l'administration coloniale et de l'administration moderne en général.

Les soleils des indépendances, d'Ahmadou Kourouma.

Œuvre d'un jeune écrivain né en Côte-d'Ivoire mais d'ascendance malinké, ce roman a été publié à Montréal en 1968 après avoir été couronné par le jury canadien du prix de la revue *Etudes françaises.*

Les soleils des indépendances présente deux grands mérites. En premier lieu, Ahmadou Kourouma a tenté de transposer dans les lettres françaises une manière de discourir vigoureuse, passionnée, syncopée, imagée aussi, que l'on rencontre souvent en Afrique Noire ; le titre même de son livre repose sur la double acception du mot bambara « tlé » qui signifie à la fois « soleil » et « jour ». En second lieu, Ahmadou Kourouma a fourni un témoignage précieux sur le comportement des milieux traditionnels aux prises avec les pressions de l'Etat moderne ; son héros, Fama Doumbouya, quichottesque quoique fataliste, est issu d'une famille princière dont le territoire chevauchait la Côte-d'Ivoire et le Mali, non loin de la Guinée ; cette position de carrefour permet à Ahmadou Kourouma de décrire les situations psychologiques variées qui se sont créées dans les pays socialistes et dans les pays d'économie libérale. Ce livre apporte l'un des premiers témoignages littéraires sur la vie post-coloniale de l'Afrique Occidentale.

Les soleils des indépendances est un roman assez triste, malgré sa truculence. Illettré, exilé, hanté cependant par l'image du pays natal et de son passé glorieux, Fama Doumbouya est un « raté ». L'absence d'enfants diminue fortement son prestige et sa sécurité dans la société traditionnelle. Son analphabétisme le prive de recours efficaces dans la société moderne. Nous pensons que son fatalisme s'explique autant par ces circonstances accablantes que par l'adhésion à l'Islam. La même cruauté de destin s'observe dans la biographie de Salimata, son épouse, victime des rites de l'excision et obsédée par la peur de la stérilité. Ce fatalisme dominant — reflet de la réalité — tend à dissoudre toute intrigue romanesque.

Ahmadou Kourouma a su rendre une certaine violence de ton (patente quand Fama dit sa haine de la « bâtardise » qui est la dégradation des mœurs ancestrales), un réalisme charnel qui rappelle le XVIe siècle français, l'amour des peuples noirs pour une sagesse qui s'exprime de préférence à travers les dictons et les proverbes. Il n'a pas su toujours éviter, surtout au début de son livre, de pénibles surcharges verbales ; certaines innovations formelles (telles que l'emploi de « le » pour « celui qui » et l'usage de verbes comme « marcher » ou « coucher » à la forme transitive) ne peuvent être approuvées.

Mongo Beti.

Un nom domine le roman africain au cours de la période 1956-1960 : celui du Camerounais Mongo Beti (né en 1932 dans la région de Yaoundé), qui s'était révélé un peu plus tôt sous son autre pseudonyme d'Eza Boto par deux courtes et intéressantes œuvres d'inspiration révolutionnaire (*Ville cruelle* dans *Trois écrivains noirs* et la nouvelle *Sans haine et sans amour* dans la revue *Présence Africaine*). Mongo Beti, dont le vrai nom est Alexandre Biyidi, est professeur agrégé de Lettres aujourd'hui. Nous nous bornerons, ici, à présenter les œuvres de sa seconde période, bien que *Ville cruelle* soit un roman fort attachant en tant qu'essai psychologique.

Mongo Beti est le romancier de l'âme neuve. Ses héros sont des jeunes gens qui, placés dans des circonstances particulières, découvrent le monde laid et un peu comique dans lequel ils se trouvent. Ce monde, ce sont le village et la ville du Sud-Cameroun à l'époque de l'Union française (1946-1957), avec l'humanité très matérialiste et souvent ridicule qui les peuple. La satire domine chez Mongo Beti, mais elle est sans acrimonie. Elle n'a jamais pour effet de transformer les individus en caricatures. Son œuvre, riche d'idées, constitue une parfaite introduction à la vie africaine. Mongo Beti est d'autre part le plus original des stylistes africains de langue française. Le rythme de sa phrase est conforme au génie de la langue : les tournures familières et le vocabulaire français local sont employés avec art, ainsi que nombre d'expressions estudiantines ou argotiques. Les livres de Mongo Beti, malgré la tristesse et les désillusions qui s'expriment dans certaines pages, laissent une impression générale de détente et de liberté parfaitement conforme au génie de l'Afrique Noire.

Le chef-d'œuvre de Mongo Beti demeure *Le pauvre Christ de Bomba* (Robert Laffont, 1956). C'est aussi le plus pessimiste de ses livres. Les personnages principaux — le Père Supérieur Drumsmond, l'administrateur Vidal — sont finalement pris de lassitude devant la médiocrité des hommes qu'ils ont la charge de diriger. Quelle que soit leur bonne volonté, ils deviennent fatalement complices de l'égoïsme des Européens et de l'âpre matérialisme de beaucoup de Noirs, qui, tel le rusé Zacharie, exploitent sans vergogne l'autorité qui leur est déléguée. Dans ce premier grand roman de Mongo Beti, les caractères sont dépeints avec ampleur et profondeur. Le ton du narrateur — Denis, le jeune domestique du Père Supérieur — est d'une très savoureuse naïveté, et l'on a pu écrire à juste titre que le style de ce roman est inimitable. Un autre fait marquant doit être signalé : le lecteur européen n'éprouve à aucun moment le sentiment de se trouver en face d'un écrivain d'un autre monde, d'une autre race. Les conversations entre Européens sont, dans le livre, d'une grande aisance, et leurs contenu révèle que Mongo Beti comprend et juge équitablement les « coloniaux » — ceux de la dernière vague en particulier —, dont il présente quelques types. Avec *Le Pauvre Christ de Bomba,* nous sommes assez loin de la violence révolutionnaire qui se manifestait dans les thèmes des premiers écrits de Mongo Beti, alias Eza Boto. Cette violence se retrouve toutefois dans la charge dirigée contre les turpitudes cachées de la « sixa ». On peut affirmer que, dans *Le pauvre Christ de Bomba,* la critique de Mongo Beti s'est nuancée, approfondie, et qu'elle a atteint l'universalité.

Les héros de *Mission terminée* (Corréa-Buchet-Chastel, 1957) et du *Roi miraculé* (même éditeur, 1958) sont également des adolescents éveillés, entourés du prestige que confèrent les études secondaires en Afrique. La vie du village, vue par ces jeunes gens qui s'y sentent déjà étrangers, forme le principal sujet des deux livres. L'amertume qui se manifestait dans *Le pauvre Christ de Bomba* n'apparaît plus ici que rarement. L'humour domine, servi par une verve malicieuse, pleine de saveur locale. En voici un exemple :

« L'ancien de Koufra atteignit rapidement le paroxysme de la fureur, tandis que le reptile l'observait d'un œil froid, l'air de le prévenir que ce n'est pas une aussi grossière diversion qui lui ferait relâcher sa vigilance. De son côté, Kris, avachi contre le mur, paraissait un cancre lointain, insaisissable. Une importante partie du village suivait le spectacle, plus grotesque qu'épique, du héros de Koufra se battant maintenant sur deux fronts ; de nombreux badauds commencèrent même de s'attrouper — et l'on doit remarquer comme hautement significatif qu'ils se tinssent de préférence autour de Raphaël plutôt que dans les parages du reptile.

« L'ancien de Koufra en vint à égrener un incroyable chapelet d'injures à l'adresse de Kris qui, las de cette indicible comédie, consentit enfin à parler :

» — Vraiment, ce que tu peux être minable, quand même ! dit-il à Raphaël. C'est fou ce que tu peux être minable ! Où as-tu entendu dire qu'on s'y soit pris à deux pour faire son affaire à un minuscule ver de terre ? Eh bien, mon vieux, ce n'était pas la peine d'aller faire le mariole à Koufra, vraiment ça n'était pas la peine, si c'est pour en revenir aussi couillon... »

« S'étant levé brusquement, Kris s'empara d'un gros morceau de terre battue qu'il trouva près de là, balança le projectile qui atterrit exactement sur la petite tête du reptile dont l'agonie dura le court moment d'onduler deux ou trois fois de la queue. Alors, le collégien jeta un regard langoureusement ironique sur Raphaël, comme l'on fait à la jolie fille qu'on a envie de trousser, et il lui conseilla :

» — Minable, va dire à ta maman qu'elle te rince le museau ! Ça pue, et comment ! » (*Le roi miraculé,* pp. 121-122.)

Une source importante de l'humour de ces deux livres est l'ironie avec laquelle est considérée l'attitude des anciens dans la société noire du Cameroun. Les grossiers appétits et l'hypocrisie de certains d'entre eux sont stigmatisés en termes crus. Le heurt des générations est aussi décrit dans un autre milieu : celui des colonisateurs. Dans chaque livre de Monga Beti, on voit un homme jeune, de formation libérale, qu'il soit administrateur civil ou prêtre, s'opposer, au moins par ses propos, à la conception de l'autorité que représente un ancien. C'est par là que les romans de Mongo Beti sont des témoignages historiques de valeur sur l'évolution extrêmement rapide des anciennes colonies françaises d'Afrique entre 1945 et 1960.

Les options et les problèmes les plus actuels sont en outre traités dans ces romans. Dans *Le roi miraculé,* par exemple, Kris, orphelin qui travaille de ses mains pour continuer ses études, et Bitama, fils de fonctionnaire, incarnent deux tempéraments, deux classes sociales, deux voies. Egoïste et matérialiste, Kris est d'esprit cosmopolite, peu respectueux des mœurs et des arts ancestraux. Il est séduit par le collectivisme russe. Altruiste et idéaliste, Bitama est nationaliste, attaché au concept de négritude, et c'est à l'humanisme classique que vont ses sympathies. Les tendances profondes de l'auteur paraissent répondre à cette dernière attitude. En tout cas, il aime l'Afrique ancienne. Il présente la vie naturelle des broussards et leur caractère grossier ave une discrète tendresse. Il souligne quelques traits essentiels du comportement noir : l'enseignement conçu comme transmission du secret des ancêtres, l'attachement des expatriés à leur village, l'importance de la communauté du sang et celle des généalogies.

Mongo Beti semble avoir un certain penchant pour le roman continu et ramifié. La figure du jeune missionnaire Le Guen apparaît dans deux romans : *Le pauvre Christ de Bomba* et *Le roi miraculé.* Nul n'est mieux qualifié que lui pour donner aux Lettres africaines une sorte de *Chronique des Pasquier,* œuvre dont l'esprit se trouve assez proche de celui qui anime les livres récents de Mongo Beti. Nous tenons Mongo Beti pour le meilleur prosateur actuel de l'Afrique Noire d'expression française.

Le roman philosophique

Il existe ici deux excellentes œuvres, révélatrices de deux personnalités attachantes : *Le regard du roi* (1954), de Laye Camara, et *L'aventure ambiguë* (1961), de Cheikh Hamidou Kane.

Les détails fantastiques, surréalistes dominent dans le *Regard du roi,* roman chargé de symboles. Une citation de Kafka lui sert d'épigraphe.

Pour le lecteur non averti, l'histoire est la suivante : un Européen fraîchement débarqué, Clarence, perd tout son avoir au jeu et se réfugie chez un gargotier africain ; il décide de quêter un emploi auprès du roi, personnage idéal qui ne descend que très rarement parmi le peuple ; un mendiant et deux apprentis danseurs, deux gamins malicieux, qu'il rencontre sur l'esplanade du palais d'Adramé, capitale du Nord, le prennent en charge et le conduisent à Aziana, capitale du Sud mystérieux, où aura lieu la prochaine apparition du roi ; en Aziana, Clarence est vendu au naba sans s'en rendre compte et féconde à son insu tout le sérail ; le roi paraît enfin en Aziana, alors que Clarence vient de prendre conscience de son aliénation à la chair ; ayant atteint un complet dépouillement physique et spirituel, Clarence obtiendra de laisser reposer sa tête sur le cœur battant du roi. « Et Clarence posa doucement les lèvres sur le léger ,sur l'immense battement. Alors le roi referma lentement les bras, et son grand manteau enveloppa Clarence pour toujours. »

Ce roman nous ayant passionné plus qu'aucune autre œuvre de la littérature moderne d'Afrique Noire, nous en donnerons une interprétation personnelle que nous livrons bien volontiers à la critique. L'idée générale n'est pas douteuse et a été plusieurs fois indiquée par l'auteur : le sujet du roman est la quête de la grâce. Le roi est Dieu ; ses vasseaux sont les croyants. L'intérêt d'une discussion porte sur les détails, fins et nombreux, de la fresque.

Le Nord est le domaine de la raison. C'est le pays natal du mendiant qui incarne la philosophie rationnelle. En Adramé, capitale du Nord, Clarence commettra l'erreur de vouloir se rendre utile auprès du roi ; il échouera dans sa requête, confiée aux bons soins du mendiant. Dieu n'a que faire de la raison humaine et de l'utilitarisme, mais comme le roi, Il ne prive pas de sa présence les hommes du monde raisonnable. Le Nord est aussi le domaine de la liberté, et même de la liberté politique ; on n'y voit point de chef, mais seulement une police ; les hommes s'y font juger par leur pair, « le premier président », qui incarne l'homme raisonnable avec ses aspirations secrètes et ses apparentes contradictions.

Le mendiant, l'habile homme du Nord, est relativement libre ; il n'est pas attaché au service du roi (Dieu) dans la discipline et l'effort, mais il trompe son entourage, il trompe Clarence, lorsqu'il prétend avoir l'audience du roi. D'où l'échec de Clarence en Adramé. Le mendiant (la philosophie rationnelle) finit par livrer l'homme à l'empire des sens. Clarence sera cependant sauvé parce qu'il est de bonne volonté, parce qu'il ne sombre qu'involontairement dans l'animalité. La malice de l'auteur s'exerce avec insistance sur le mendiant ; parvenu dans le Sud, ce dernier renonce à ce que l'on pouvait croire être sa vocation ; il abandonne sa quête, c'est-à-dire la recherche philosophique ; il renonce à errer à pied, et nous le voyons quitter Aziana juché sur un âne, nanti d'une femme qui n'est même pas très belle ; ces biens médiocres sont la récompense de sa trahison.

Dans le Nord, la justice humaine est secrète et logique : elle vise seulement à la réparation du délit.

Le Sud est le domaine de la nature libre. Les sens y sont maîtres ; ils sont « le naba ». Le Sud se caractèrise par tout un ensemble, et d'abord son odeur tenace et soporifique qui est la volupté endormant l'esprit ; l'un de ses notables est l'eunuque Samba Baloum, serviteur de l'instinct sexuel ; cet instinct lui-même se matérialise par la rivière, sa boue gluante et ses femmes-poissons, qui provoquent le dégoût de Clarence. La logique n'est pas absente de la cour du naba, mais elle y est considérée comme hargneuse, sotte, gênante ; on la supporte fort mal et se réjouit de ses mésaventures ; elle est incarnée par le maître des cérémonies, porteur d'une longue gaule prompte à châtier.

Le monde des sens est celui de la contrainte. Le gouvernement du Sud est oligarchique ; le naba gouverne et l'aristocratie rend la justice. Celle-ci est cruelle, exemplaire, non utilitaire.

Le couple d'apprentis-danseurs, Noaga-Nagoa, a les qualités du Sud : fantaisie naturelle, vitalité libre. Les deux garnements sont toujours prêts à jouer un tour à Clarence, à jeter le doute en lui, mais ils s'emploient aussi à le tirer discrètement des mauvais pas. Cette fantaisie naturelle, attachée aux sens, est essentiellement désintéressée et finit par servir Dieu. Noaga et Nagoa seront danseurs du roi.

Deux autres personnages ont leur résidence dans le Sud. La présence de Diallo s'y explique d'elle-même. Diallo, le forgeron, vit pour offrir au roi une hache qui soit un chef-d'œuvre, mais il ignore si ce chef-d'œuvre sera achevé quand le roi paraîtra ; il ignore même si le roi arrêtera son regard sur ce présent. Diallo incarne l'artiste. Le personnage de Dioki, la sorcière du Sud, devineresse, capable d'évoquer la venue du roi, est d'interprétation difficile. Maîtresse des forces occultes (qui pourraient être les serpents), elle incarne un personnage important de la société africaine : féticheurs, sorciers, savants traditionnels des deux sexes. Elle pourrait aussi symboliser l'intuition.

Il reste à tenter de comprendre le roi et son entourage. Le roi (Dieu) est léger, c'est-à-dire libre, et puissant hors du monde des hommes ; il devient lourd, c'est-à-dire prisonnier de certaines forces, et fragile lorsqu'il paraît parmi eux. Le regard et le battement de son cœur matérialisent l'amour qui le conduit vers les hommes — qu'ils soient du Sud ou du Nord — et qui lui permet d'accepter leur amour impur, représenté par l'or dont les pages-danseurs cerclent ses membres.

La venue du roi n'est pas prévisible. Son regard paraît ne pas concerner les hommes, même quand il se trouve parmi eux ; il s'applique à une autre réalité que le monde humain. Les présents des hommes, notamment leur vie méritante, ne peuvent dès lors le retenir.

Ne demeurent auprès du roi que les pages-danseurs. Ce sont les renonçants, nécessairement humbles, qui soutiennent Dieu dans sa descente parmi les hommes et Lui permettent ainsi d'accepter leur amour. Ils sont de tous les milieux, de tous les états, de tous les tempéraments. Vivant près de Dieu ou n'aspirant qu'à vivre près de Lui, ils paraissent souvent « effrontés » dans la société des hommes raisonnables. Tels Noaga et Nagoa, que le mendiant juge sévèrement.

Le roi raffole de la danse. Il faut rappeler ici que cet art caractérise la négritude. Il est abandon au surréel. *Le regard du roi* constitue une fine analyse de la négritude et mériterait, à ce seul titre, une thèse.

Qu'elle soit inspirée par la raison ou la nature brute, la justice humaine n'est que dédale, ruines et impuretés. A cet égard, les palais de justice d'Adramé et d'Aziana se ressemblent étrangement. C'est ici que les tendances satiriques de l'auteur sont le plus manifestes.

Le regard du roi n'a pas que la richesse d'une fresque composée de symboles. Les personnages qu'il met en scène sont aussi des caractères et des types représentatifs de la société noire : le mendiant, autoritaire, malin et égoïste, ressemble à maints griots ; les deux jeunes vagabonds, alertes et moqueurs, sont deux excellents échantillons de la jeunesse déracinée et entreprenante ; le gargotier, avide mais juste, se retrouve sur toutes les routes d'Afrique ; le forgeron Diallo, artisan consciencieux et homme de bon conseil, Akissi, épouse soumise, et tant d'autres sortent tout vivants des bourgs de la savane ouest-africaine. Clarence, plein de préjugés et de naïveté, donne lui-même une excellente image de l'Européen vu par l'Afrique malicieuse.

L'aventure ambiguë, de Cheikh Hamidou Kane (Julliard, 1961, préface de Vincent Monteil), n'est peut-être pas l'œuvre la plus typiquement africaine des dernières années, mais elle est la plus significative. Sa portée géographique est limitée : la société toucouleur du Fouta Toro est l'un des foyers les plus anciens de l'Islam en Afrique occidentale ; la rigueur de l'éducation religieuse, l'austérité des mœurs sont des traits saillants de cette communauté et l'isolent quelque peu. Les chefs religieux y ont un prestige exceptionnel. Malgré cette particularité, *L'aventure ambiguë* a pour sujet une situation commune à toutes les sociétés noires : le choc entre la civilisation rationnelle et économique de l'Europe, d'une part, la civilisation mystique et désintéressée de l'ancienne Afrique Noire, d'autre part.

L'aventure ambiguë est un livre de grande noblesse. Il en émane une tristesse qui est le fruit de siècles de méditation statique. Cette faible mobilité s'exprime dans le style, caractérisé par la retenue de l'expression, des chapelets de silences. Cette vie spirituelle débouche finalement sur un vide lumineux dont la vertu d'apaisement n'est pas certaine. La dignité du père de Samba Diallo, le Chevalier, et de Tierno, le Maître, est-elle féconde ? La soumission est-elle féconde ? L''effort de l'homme ne peut-il être que divertissement ? Telles sont les questions qui se trouvent inscrites à chaque page de ce roman. Elles lui donneront une audience universelle que favorisera la sobriété de la phrase.

La sagesse triste du Chevalier s'exprime avec une belle ampleur dans ce passage : « Notre monde est celui qui croit à la fin du monde... L'évidence est une qualité de surface. Elle fait de vous les maîtres de l'extérieur mais, en même temps, elle vous y exile de plus en plus. » (P. 97.) Cette pensée n'est pas nouvelle ; elle est le fondement de l'esprit religieux. Elle a cependant le tort de confondre la science qui est angoisse, âme, avec la science qui n'est que goût du spectacle.

Samba Diallo oppose ailleurs le marxisme à ses tendances intimes en ces termes (dialogue avec Lucienne, p. 163) : « Ton combat est pour assujettir (la nature)... Moi, je n'ai pas encore tranché le cordon ombilical qui me fait un avec elle. La suprême dignité à laquelle j'aspire, aujourd'hui encore, c'est d'être sa partie la plus sensible, la plus fidèle. » L'usage que chaque espèce vivante, chaque individu vivant doit faire de sa liberté, de sa part de domination, mérite cependant d'être étudié. L'homme est soumis et soumet ; la vie morale présente des plans hiérarchisés qu'il convient de définir ; c'est l'un des principaux objets des sciences, alors même que leur objet paraît étranger aux inquiétudes humaines.

L'audace de la langue, le symbolisme, le glissement vers le fantastique, une tendresse tout à fait contraire aux tendances européennes actuelles, apparentent *L'aventure ambiguë* au *Regard du roi* de Laye Camara.

Les préoccupations intellectuelles, sources d'heureuses inventions verbales pour exprimer l'abstrait, sont cependant dominantes dans *L'aventure ambiguë,* que l'on a le droit de considérer comme un essai moral en forme de dialogue. L'œuvre de Camara est plus souple.

7. Le conte et la nouvelle.

Le plus estimé des conteurs africains d'expression française est Birago Diop (né en 1906 à Dakar).

Ses *Contes d'Amadou Koumba* furent publiés dès 1947 chez Fasquelle, puis réédités par Présence Africaine. Ecrits dans une langue tendre et souple, ces contes sont consacrés à l'amour et à la défense de la tradition africaine. C'est dans *Sarzan* que cette volonté trouve sa plus nette et sa plus poétique expression : *Sarzan* est la brève histoire d'un sous-officier noir libéré qui, rentrant dans son village, prétend y bouleverser des habitudes plusieurs fois séculaires au nom de la « civilisation ». Sarzan échoue et devient fou. Sa chanson, reproduite dans l'*Anthologie de la nouvelle poésie nègre et malgache*, sera, au même titre que *Doguicimi*, un classique de la littérature française (« Ecoute plus souvent — Les choses que les êtres — La voix du feu s'entend — Entends la voix de l'eau »). L'œuvre de Birago Diop se compose surtout de contes édifiants extraits du folklore sénégalais, dans lesquels interviennent fréquemment des animaux, par exemple Leukh le lièvre et Boukhi l'hyène, incarnations de la ruse et de la bêtise. On y voit même des animaux se métamorphoser en jolies femmes (« Fari l'ânesse », « M'Bile la biche et N'Dioumane le chasseur »). Ces contes abondent en outre en remarques pittoresques sur la vie domestique et sur les bons usages locaux. L'introduction réaliste du conte *Les Mamelles,* le caractère dramatique du conte *Petit Mari* et la conception élevée de *Sarzan* étaient des éléments marquants de ce premier recueil.

Les nouveaux contes d'Amadou Koumba (Présence Africaine, 1958) ne diffèrent guère, par leur essence, des premiers *Contes d'Amadou Koumba.* Ce sont surtout des apologues, pleins de verve, d'humour, et riches d'enseignement. Les plus typiques à cet égard sont *La cuiller sale,* et *Khary Gaye,* éloges de la modestie, de la douceur et de la discrétion féminines. Certains contes, tels *La cuiller sale* ou *Samba-de-la-Nuit,* ont un caractère nettement fantastique. D'autres, qui mettent en scène des animaux, se rapprochent de la fable (tels *Le taureau de Bouki* ou *Les deux gendres*) ou de la « métamorphose »», genre dans lequel telle particularité d'une plante ou d'un animal est expliquée par une transformation magique qui est la sanction d'un comportement fautif (*Khary Gaye, Djabou N'Daw*). L'introduction réaliste, qui donnait un charme spécial à certains récits du premier recueil, tels *Les Mamelles* et *Sarzan,* se retrouve ici dans le conte d'inspiration mossi *Liguidi Malgam* (région de Tenkodogo). L'animisme noir est vu avec sympathie dans *Le Boli* comme il l'avait été déjà dans *Sarzan ;* il est à noter que le cadre de ces deux contes est le pays bambara. Le thème de l'hôte excessif — traité avec beaucoup d'humour dans *Le prétexte* et *Bouki pensionnaire* — n'aura pas manqué d'intéresser vivement les lecteurs africains en proie à un parisitisme que les coutumes engendrent encore de nos jours. Dans *Le prétexte,* Birago Diop a tracé du faux marabout parasite un portrait d'anthologie (pp. 36-37 : « Sérigne Fall était de ces éternels talibés... »).

Contes et lavanes (Présence Africaine, 1963) continue avec bonheur l'œuvre de Birago Diop. Les thèmes et les situation que l'on y trouve circulent dans tout l'Ouest africain. Le récit, plein d'humour et de raffinement, fait la valeur de ce recueil comme des précédents. L'adjectivation est parfois un peu trop abondante et la phrase un peu trop chargée. Les atmosphères maraboutiques, dont les « lavanes » sont une émanation, retiennent particulièrement l'attention : le chef-d'œuvre nous paraît être dans ce domaine *Le fou du marabout.* Dans l'ensemble du recueil, les thèmes moraux dominants sont la condamnation de l'immodestie, avec la parfaite réussite qu'est *Une journée de beau-père,* et la peinture, plus ou moins flétrissante, de l'égoïsme satisfait, généralement représenté par la gourmandise ; *Tel Sa M'Baye,* consacré à ce second thème, est l'excellente illustration d'une historiette populaire. Dans les deux petits chefs-d'œuvre que nous venons de citer, le rythme, cher au conteur africain, est marqué par la répétition d'un refrain, de ses éléments ou de ses variantes. *Sa Dagga* est enfin un récit remarquable qui expose de façon succincte la philosophie du griot wolof et ses réactions face au monde du travail et à la religion :

« Sa-Dagga-le-Vieux prétendait que Yalla le Bon Dieu est bon, bien sûr, mais c'est bien Lui qui tue. Il disait que Yalla était le parfait témoin, le meilleur des spectateurs, impassible, n'intervenant ni dans les querelles ni dans les agressions. Il disait encore que le Bon Dieu était glissant, que c'était impossible de Le tenir, de s'appuyer sur Lui comme le recommandaient ses représentants et porte-paroles, les Marabouts... »

L'agnosticisme du griot est ici frappant. Souhaitons que Birago Diop nous parle un jour du devin, personnage aussi fin que le griot et plus répandu encore en Afrique Noire.

Les *Contes et lavanes,* comme les *Contes d'Amadou Koumba,* contiennent de très subtiles touches descriptives, aussi bien dans la peinture des ambiances que dans celle des caractères.

Notons en conclusion que Birago Diop est l'un des meilleurs représentants de ce que l'on pourrait appeler la « littérature de l'époque française », littérature bourgeoise, sereine, autorisant, en poésie, l'expression d'une certaine mélancolie intime. Toute son œuvre est imprégnée d'un amour profond de la terre et du paysan africains, que son métier de vétérinaire, exercé dans de nombreuses contrées de l'ancienne A.O.F., lui a permis de bien connaître. Cette œuvre se caractérise aussi par une cordialité universelle et un amour du travail bien fait qui sont encore assez rares.

Bernard B. Dadié est surtout un conteur, avec *Légendes africaines* (Seghers) et *Le pagne noir* (contes), mais c'est aussi un poète, avec *Afrique debout, La ronde des jours,* et un romancier avec *Climbié* (Seghers, 1956). Ses contes ont les mêmes caractères que ceux de Birago Diop (fables, réalisme et féerie), mais leur cadre habituel est la clairière de la basse Côte-d'Ivoire. L'animal astucieux est ici Kacou Ananzé, l'araignée. Le boa paraît être un animal riche et bénéfique dans cette partie de l'Afrique. Les contes les plus réussis du recueil *Le pagne noir* (Présence Africaine, 1955) nous paraissent être *La cruche,* remarquable par son caractère fantastique, et *Le chasseur et le boa,* qui traite le thème fort répandu de la reconnaissance prodigieuse d'un animal auquel un chasseur a fait grâce. Malheureusement, l'art de Dadié pèche assez souvent par la négligence de la composition.

Dans les *Contes et légendes d'Afrique Noire,* d'Ousmane Socé Diop, cadet et collègue de Birago Diop, on apprécie particulièrement les scènes de la vie agricole, où s'expriment quantité de sensations fines. Les récits d'Ousmane Socé se distinguent de ceux de Birago Diop en ce qu'ils sont plus proches des problèmes d'évolution. Avec *Tanor, le dernier sambalinguère* et *Sara-Ba,* Ousmane Socé a créé la nouvelle sociale.

Cette dernière trouve actuellement son meilleur représentant en la personne d'Ousmane Sembène qui, dans le recueil intitulé *Voltaïque* (Présence Africaine, 1962), dénonce quelques maux de la société sénégalaise, tout particulièrement l'égoïsme froid de certains maris musulmans et polygames dans les récits *Ses trois jours* et *Souleymane.* Ses attaques visent aussi les mariages de convenance (*La rue sablonneuse*), le mraboutage (*Mahmoud Fall*), l'hypocrisie de certains Musulmans (*Souleymane*). Dans le domaine politique, *Prise de conscience* met en garde contre l'embourgeoisement des leaders ; d'autres récits (*Communauté, Chaïba, Le Voltaïque*) évoquent certaines phases de la lutte pour la libération de l'homme noir et des peuples d'outre-mer en général. Deux récits décrivent l'isolement moral des travailleurs noirs en France : les dockers dans *Lettres de France,* les serviteurs dans *La Noire de...* Ce dernier récit confirme que Sembène est en mesure de fonder le roman psychologique africain, ce qu'avait déjà indiqué *Les bouts de bois de Dieu.* Il révèle aussi une meilleure connaissance de la psychologie et des habitudes de la bourgeoisie française d'outre-mer ; dans les œuvres précédentes du même écrivain, l'aspect caricatural était dominant.

La Noire de... est suivie d'une pièce poétique intitulée *Nostalgie*, qui est bien venue.

Ousmane Sembène reste l'un des rares écrivains militants d'Afrique Noire. Sa volonté est nette : elle tend à une modernisation et à une épuration rapide de la société africaine. Peut-être parce qu'il s'agit de nouvelles, c'est-à-dire d'un genre qui exige beaucoup de retenue, on ne retrouve pas ici la vulgarité de certains passages des œuvres précédentes (*Le docker noir, O pays, mon beau peuple*, surtout). *Voltaïque* révèle une sensibilité affinée qui donne naissance à des rythmes justes et variés, à une heureuse sélection des mots et des détails graphiques.

En 1965, Ousmane Sembène a publié deux longues nouvelles aux éditions Présence Africaine : *Vehi-Ciosane* et *Le mandat*. Le cadre de *Vehi-Ciosane* est la société traditionnelle du Cayor (Sénégal), sévèrement critiquée pour sa passivité et son égoïsme. Si un malheureux essai de prose poétique rend pénible la lecture des deux premiers chapitres de *Vehi-Ciosane*, le lecteur est ensuite récompensé de sa patience par de nombreuses images pleines de sensibilité et par un tableau final mémorable ayant la plage sablonneuse du Cayor pour cadre. *Le mandat*, qui relate les tribulations dakaroises d'un chômeur musulman, digne père de famille, dans un monde administratif peu fait pour lui, emporte sans réserve notre adhésion. L'histoire est passionnante, le mouvement vif, les caractères et les situations magistralement évoqués. Peignant la difficile situation psychologique des humbles, *Le mandat* fait songer au *Crainquebille* d'Anatole France dont il a la tristesse.

Les talents de metteur en scène de Sembène sont évidents dans ses nouvelles. Il se trouve en fait à la tête du court métrage africain. *Borrom Sarret* (Bonhomme Charrette) et *La Noire de...* ont été projetés avec succès.

La nouvelle est le genre qui se prête le mieux aux concours d'encouragement. Ce sont d'abord de tels concours qui firent connaître quelques écrivains du Congo belge vers 1949. En 1963, la revue *Preuves* a créé un Grand Prix de la Nouvelle, dont les lauréats furent Jean Pliya (Dahomey) avec *L'arbre-fétiche* et Sylvain Bemba (Congo) avec *La chambre noire*. Ces nouvelles gravitent autour du thème de l'adaptation à la civilisation des machines, c'est-à-dire à une civilisation agressive par opposition à la civilisation défensive qui était, vis-à-vis de la Nature, celle de l'Afrique Noire. Notons, à propos de la nouvelle, que les organismes de radiodiffusion sont, pour l'Afrique Noire, les meilleurs abris de la littérature ; ceci est vrai aussi bien pour l'Afrique anglophone (Cyprien Ekwensi) que pour l'Afrique francophone (le Camerounais Francis Bébey ou le Voltaïque Roger Nikiéma, par exemple).

Deux petits recueils de contes fantastiques retiennent l'attention.

Au Tchad sous les étoiles, de Joseph Brahim Séid (Présence Africaine, 1962), appelle peu de remarques. Les idées sont banales et les traditions historiques ou légendaires mal exploitées. Les récits fantastiques, dans lesquels une certaine influence arabe pourrait sans doute être décélée, sont les plus pittoresques, en particulier *Le bonnet, la bourse et la canne magique*. Le recueil se clôt par un conte politique, *Le roi misanthrope*, qui dénonce les méfaits de l'idée démocratique adoptée trop hâtivement et le culte de la personnalité. « L'histoire d'un peuple... constitue le seul garant de l'évolution. » Cette idée — que d'aucuns qualifieront de réactionnaire — est assez rarement exprimée en Afrique Noire.

A la belle étoile, du Camerounais Benjamin Matip (Présence Africaine, 1962) n'est pas d'un niveau supérieur. La faible originalité des idées est aggravée par certaines vulgarités de forme ou impropriétés, telles que « Tu ne te fous pas par hasard de ma gueule ? » (p. 24), dont la truculence juvénile et par trop française convient peu au langage d'un vieux cheval épuisé par les ans. Le premier conte, *Adieu la guerre, adieu le paradis*, reprend le thème, répandu dans tout l'Ouest africain, de l'ingratitude humaine (voir COLIN, *Les Contes noirs de l'Ouest africain*, pp. 113-114) : les personnages sont ici le boa (comme dans la version indienne), l'homme, une vieille vache, un vieux cheval et la tortue, qui remplace le lièvre des versions de la savane. *Le drapeau du sourire* et *Le vieil homme et le singe* sont des contes politiques. Dans le premier, Bilim bi Mongo, l'homme-grenouille, victime de la double ségrégation économique et raciale, triomphe en épousant la fille du roi : il fonde, par là même, une nouvelle société qui vivra dans la justice et le bonheur. *Le vieil homme et le singe* stigmatise l'ingratitude des profiteurs à l'égard des libérateurs ; Belmis Makanda retombera dans la misère d'où Massoda, le singe habile, l'avait tiré.

On voit, par les exemples de Joseph Brahim Séid et de Benjamin Matip, que le conte didactique africain tend à se transformer : ce n'est plus seulement la nature humaine qui est en cause, mais l'ordre social.

Le Camerounais Jacques Mariel Nzouankeu (né en 1938 à Manjo) a introduit avec talent le sentiment de terreur dans la nouvelle négro-africaine par son recueil *Le souffle des ancêtres* (Abbia Clé, Yaoundé, 1965). Donnant au passage de justes et sobres images de la vie locale, Nzouankeu montre comment le sentiment d'une cruelle fatalité peut s'emparer progressivement de l'âme d'un homme du peuple ; une composition habile et un vocabulaire simple font participer le lecteur, subjugué, à ce processus. Ces nouvelles rappellent le préromantisme européen par leur aspect lugubre ; l'art de l'attente (« suspense ») dont elles témoignent peut servir d'amorce à une littérature policière originale en Afrique Noire. Nous avons particulièrement aimé, parmi les quatre nouvelles du recueil, « Les dieux de Bangoulap » et « La Dame d'eau ». Malheureusement, quelques fautes de syntaxe et de regrettables imbroglios dans le maniement des temps nuisent à la valeur formelle de l'ouvrage.

8. La littérature de voyage. L'Europe exotique.

Les écrivains africains disposent d'excellents modèles dans ce domaine, avec les œuvres de Richard Wright, *Espagne païenne* et *Puissance Noire,* ce dernier livre traitant d'impressions recueillies au cours d'un séjour au Ghana. Le livre de Bernard Dadié, *Un nègre à Paris,* se rapproche du reportage ou du récit de voyage ; Ousmane Socé, Ousmane Sembène et Aké Loba, sans doute parce qu'ils traitaient un problème social qui leur tenait à cœur, ont préféré suivre la voie plus classique du roman. Ces œuvres rapportent l'expérience des voyageurs, des ouvriers et des étudiants africains en Europe, plus particulièrement en France et à Paris. Elles sont de lecture très profitable, car elles montrent, plus directement et plus franchement que de savants essais, ce qui rapproche ce qui sépare les mœurs africaines et européennes d'aujourd'hui. Elles montrent aussi comment l'adaptation à la vie européenne modifie le comportement de l'Africain expatrié.

Dès 1937, Ousmane Socé décrivit dans *Mirages de Paris* la vie difficile d'une jeune Sénégalais qui, envoyé à Paris à l'occasion de l'Exposition coloniale de 1931, tente de s'incorporer à la société métropolitaine. Retenu par le souvenir d'une épouse européenne, aimée passionnément et morte en couches, Fara, le héros du livre, se jette dans la Seine par une triste soirée d'automne. La beauté des dernières pages fait oublier quelques gaucheries. L'attrait que la France exerce sur les personnages africains du livre est indissociable du sentiment de liberté qu'ils éprouvent à Paris. Il s'explique donc ici par les caractéristiques d'une certaine situation coloniale qui se modifia rapidement à partir de 1945.

Ousmane Sembène a sa place dans la littérature exotique par *Le docker noir* et certaines de ses nouvelles, telles *Lettres de France* et *La Noire de...*, toutes deux très bonnes. On se bornera à rappeler ici l'excellent réalisme des œuvres de Sembène en ce qui concerne le monde des travailleurs noirs. La partie « contacts » est beaucoup moins sûre, surtout dans les premières productions.

C'est surtout à la comparaison des comportements que s'attache Bernard Dadié dans *Un nègre à Paris* (Présence Africaine, 1959). Le séjour dont il s'agit est un peu abstrait et remonte à 1956. La vie parisienne est vue avec un certain conformisme, mais tout est dit avec aisance et souvent avec un humour qui, sans être exceptionnelement fin, est de nature à plaire. Ce livre montre, s'il en était besoin, combien l'intimité française est peu perméable. La vieille société bourgeoise vouée aux oubliettes, qui donne encore à la France son ton et son charme, est une nouveauté pour le voyageur africain. Les artifices de la vie sociale française l'irritent et l'inquiètent, mais l'éblouissement provoqué par une réussite matérielle relative l'emporte. On peut toutefois se demander, en fermant le livre de Dadié, si le Parisien dont il parle se distingue du Français en général, et même, sur bien des points, de l'Anglais, de l'Allemand ou de n'importe lequel de leurs voisins : l'amour des fleurs, par exemple, n'est pas caratéristique du Parisien. Quoi qu'il en soit, ce livre révèle une personnalité attachante ; il abonde en remarques justes et riches d'enseignement.

Un nègre à Paris pourrait cependant passer pour un brillant exercice de style, comparé à l'émouvant document que constitue *Kocoumbo, l'étudiant noir* d'Aké Loba (Flammarion, 1960). Ce roman décrit la vie souvent pathétique du jeune homme noir qui doit commencer ses études secondaires aux côtés d'enfants européens. Il montre aussi le danger du découragement ou de la paresse au stade des études supérieures. *Kocoumbo, l'étudiant noir* est un livre assez triste : il souligne la nécessité de ne pas laisser l'étudiant africain arrivant à Paris se perdre dans l'anonymat et l'indifférence qui caractérisent les grandes agglomérations humaines. Ses efforts ont besoin d'être guidés et encouragés comme ceux d'un adolescent. La présence de directeurs d'études spécialement formés — qui seraient en même temps professeurs, éducateurs et assistants sociaux — permettrait de résoudre cet important problème. *Kocoumbo* constitue une revue complète des problèmes de la jeunesse africaine face à l'Europe et aux idéologies qui prétendent se partager le monde contemporain. Cette revue est faite sans la moindre agressivité raciste, fréquente et excusable dans la littérature africaine de cette décennie (1950-1960).

De forme classique, écrit avec correction, animé d'un mouvement entraînant, *Kocoumbo* n'a cependant qu'une valeur artistique limitée. Les hommes qu'il présente demeurent un peu abstraits. Ce sont des types, des échantillons, des exemples plutôt que des individus avec lesquels on se sent en communion. Le héros du livre, Kocoumbo, paraît lui-même résulter d'une composition littéraire, non d'une réalité vivante et forte qui s'exprimerait à travers la sensibilité de l'auteur. Le déroulement de la vie des personnages (Kocoumbo, Mou, Denise) est souvent peu vraisemblable.

En 1964, Bernard Dadié a publié aux éditions Présence Africaine une sorte de pendant à *Un nègre à Paris*. Ce nouveau livre, intitulé *Patron de New York*, relate, sous la forme de réflexions humoristiques, la découverte que l'auteur a faite des Etats-Unis après un séjour de quatre mois. Il existe des longueurs, un fignolage de l'expression un peu irritant. En de nombreux passages, le problème racial propre aux Etats-Unis est évoqué sans douceur bien qu'avec élégance. D'une façon générale, l'avenir de la civilisation mercantile américaine inquiète l'auteur, qui note par exemple (page 69) : « L'Américain veut redonner à chaque individu sa valeur intrinsèque, l'assurance que lui confère un compte en banque bien fourni, mais à quoi cela a-t-il abouti ? A faire de son pays une terrible jungle et à grossir démesurément les défauts importés d'Europe. Une serre chaude où poussent des plantes rabougries ou exagérément grandes ». Comme on le voit le ton n'a plus la relative insouciance, la vraie gaieté, qui caractérisaient celui d'*Un nègre à Paris*.

9. Le théâtre.

Dans la société africaine traditionnelle, le théâtre ne constitue que rarement un art indépendant. Le génie comique s'exprime dans les relations quotidiennes : rencontre entre parents, alliés, amis, personnes qu'unissent les liens de la parenté à plaisanterie. Il est aussi spontané que la danse, inséparable de la mimique, base du théâtre. Le conteur noir est toujours, lui aussi, un mime. De véritables représentations théâtrales, dont Bakary Traoré a fait mention dans son ouvrage *Le théâtre négro-africain et ses fonctions sociales* (Présence Africaine, 1958), ont été signalées dans les villages du Soudan et de la Côte-d'Ivoire : il s'agissait de farces et de comédies très simples.

Si l'on définit le sens tragique comme étant la prise de conscience douloureuse du destin humain par l'individu, on peut douter de l'existence de l'art tragique dans la société traditionnelle. Toute la vie sociale elle-même est représentation dramatique, mais elle tend à la restauration du passé, à la glorification du mythe quand il existe, au retour à une certaine perfection originelle ; ceci explique la suprématie des anciens et l'inanité de la réflexion individuelle. Le sens tragique, s'il parvenait à naître dans ces conditions, entraînerait la condamnation de l'individu. Le fait est que l'esprit tragique est encore assimilé avec difficulté par les acteurs africains et rencontre peu de compréhension de la part de leur public. Nous y voyons la survivance d'une éducation antitragique fort ancienne. L'influence actuelle des civilisations blanches n'est d'ailleurs pas enrichissante sur ce point : de spectaculaires réussites techniques, qui ont engendré un confort provisoire, ont donné à ces civilisations une suffisance qui a considérablement affaibli en elles l'esprit tragique et, partant, ramené leur théâtre au niveau du divertissement.

Le bon théâtre africain est actuellement constitué par des spectacles qui mêlent la représentation scénique au chant et à la danse ; il ne se conçoit pas sans un minimum de gaieté. Les sujets ne sont pas forcément comiques : les légendes, les faits historiques, les problèmes familiaux sérieux fournissent la matière de nombreuses pièces. Les troupes d'élèves et d'étudiants, tant en Afrique (Ecole William-Ponty, lycées) qu'en France, ont créé ce théâtre. Les centres culturels, les maisons des jeunes, ont suivi ce mouvement, qui est bien vivant à l'heure actuelle. A l'origine, le « Théâtre africain » du Guinéen Fodéba Kéita eut lui aussi une origine estudiantine. Dans *Poèmes africains* (Seghers, 1950), cet auteur et animateur fixa certaines des « légendes jusqu'ici contées, dansées, mimées, chantées par les griots dans les villages » et brossa avec talent de frais tableaux de mœurs. Toujours chez Seghers, Kéita publia en 1952 une petite pièce intitulée *Le maître d'école,* plaisante satire de l'école primaire de brousse, suivie de danses. En 1965, Seghers a publié l'ensemble des œuvres scéniques de Kéita Fodéba sous le titre *Aube africaine* ; il s'agit, sur le plan artistique, d'une belle réussite éditoriale ; quatre illustrations, dues aux élèves de l'Ecole des Beaux-Arts de Conakry, ornent ce recueil.

Entre 1954 et 1958, la revue *Traits d'Union,* organe des centres culturels d'A.O.F., publia un certain nombre d'adaptations théâtrales. Depuis 1958, les troupes nationales africaines ont remporté de nombreux succès en Europe, notamment à Paris, au Théâtre des Nations. Des indications sur le théâtre sont fréquemment données par les revues *L'Afrique actuelle, Bingo, Présence Africaine*. Dans cette dernière revue (4e trim. 1961), nous avons dit quelques mots du « Théâtre africain à Ougadougou ». *Afrique,* dans son numéro de février 1964, a rendu compte de l'activité de la section « Arts dramatiques » de l'Ecole des Arts du Sénégal et du spectacle *Gnagalin, l'esclave maléfique.*

La mort de Chaka, pièce en cinq tableaux du Malien Seydou Badian Kouyaté, éditée en 1962 par Présence Africaine, marque modestement la naissance de la tragédie négro-africaine d'expression française, mais seulement dans le cadre rigide du théâtre d'idées, presque de propagande. La suite de cet exposé fera comprendre pourquoi une telle œuvre devait se concevoir au Mali, pays qui mène actuellement une politique sociale pilote dans l'aire de civilisation qui nous intéresse.

Dans cette œuvre, animée d'un bon mouvement dramatique, et écrite avec correction, le chef zoulou Chaka devient le symbole de l'Afrique combattante. Il semble nécessaire d'effectuer une transposition et de considérer que les guerres libératrices de Chaka correspondent de nos jours, sauf quelques cas exceptionnels, au combat des peuples africains pour l'indépendance économique. *La mort de Chaka* apparaît alors comme une contribution personnelle du docteur Kouyaté, ministre du Plan de la République du Mali, à la mobilisation du peuple. Les paroles de Chaka et de ses fidèles expriment la volonté de sacrifice qui préside à la construction de l'Etat socialiste :

« Il faut savoir choisir : la mollesse, les plaisirs ou la grandeur. Les tribus que vous avez battues, les peuples que vous avez écrasés vivaient cette vie à laquelle tu (Malhagana) aspires. Ces hommes étaient vautrés dans la jouissance, dans la mollesse, et c'est pourquoi ils ont été battus. Il faut comprendre que vous devez savoir vous priver afin que ceux qui viendront après vous puissent profiter de ce que vous avez fait » (p. 30, paroles de N'Dlébé), et « Nous avons su nous oublier les uns les autres pour un ensemble que nous avons jugé au-dessus de chacun de nous. » (P. 57, paroles de Chaka.)

L'intérêt que les pays africains socialistes portent à la jeunesse, spécialement à la jeunesse féminine, se retrouve dans la pièce. Cet intérêt se concentre en la personne de l'héroïne Notibé. L'idéal « chakien » la portera même à trahir sa famille, conduite discutable.

Outre ces éléments idéologiques, en général respectables, *La mort de Chaka* contient des notations psychologiques de valeur sur la vie politique africaine, telle celle-ci, d'application importante :

« Quand un homme dirige les hommes, il ne faut pas qu'on puisse dire à tous moments de lui : si nous faisons ceci, il réagira ainsi. Il est bon qu'il y ait un peu de mystère, un peu d'inconnu dans l'attitude d'un chef. » (P. 41, paroles de N'Dlébé.)

Au cours des dernières années, le théâtre négro-africain s'est développé selon deux directions principales ; le théâtre historique de type patriotique et le théâtre de mœurs.

Le théâtre patriotique emprunte ses thèmes aux circonstances de la conquête coloniale. Amadou Cissé Dia qui avait donné en 1942 une pièce sommaire mais prenante, *La mort du damel,* a publié en 1966 *Les derniers jours de Lat Dior* dont l'intérêt dramatique est discutable (Présence Africaine) ; nous en avons aimé la première scène, qui met en relief l'effronterie du griot Latsoukabé. *Kondo le requin* (1967) du Dahoméen Jean Pliya, drame historique en trois actes publié par l'Imprimerie nationale du Dahomey, est consacré à la défense et à la réhabilitation d'un autre vaincu du siècle dernier, le roi Gbêhanzin, qui est ici présenté comme un timide modernniste, victime de circonstances historiques contre lesquelles il ne pouvait rien. On peut reprocher à bon nombre de ces pièces théâtrales de n'être que de l'histoire révisée et portée à la scène ; le nœud dramatique reste lâche ; les caractères ne sont trop souvent que des schémas idéologiques ; l'Européen, en particulier, parle comme un livre. En revanche, les pensées et le vocabulaire des princes noirs qui sont les héros de ces pièces présentent une noblesse conforme à la réalité de la société traditionnelle. Même s'ils semblent passer un peu à côté de la vie, les auteurs de ce théâtre patriotique sont de très valables défenseurs de la négritude.

Le plus doué de ces auteurs dramatiques — parce qu'il sait, plus que d'autres, porter des conflits à la scène — nous paraît être le Sénégalais Cheikh A. Ndao, auteur de *L'exil d'Albouri* (P. J. Oswald, 1967). Albouri N'Diaye, bourba du Djoloff, doit opter entre un combat désespéré ou la soumission et le repli vers un Etat noir lointain ; ce conflit est traité avec vigueur, dans un style très correct. A côté de cette intrigue politique, Ndao a su introduire dans sa pièce une discrète poésie centrée sur le personnage du griot Samba, « le Verbe ». Il a su y glisser aussi l'évocation simplifiée de l'opposition philosophique entre la joie de vivre incarnée par la reine Seb Fal et la volonté de lutte incarnée par la Linguère Madjiguène, sœur du souverain.

Les mêmes qualités dramatiques, les mêmes vertus de fond se retrouvent dans une courte pièce de Ndao, *La décision* (qui figure dans le même livre que *L'exil d'Albouri*). Le cadre en est une ville du sud des Etats-Unis et le thème la formation de l'unité des classes sociales noires dans le combat antiraciste ; l'événement-choc est ici l'entrée d'un étudiant noir dans une université de sa ville natale.

Le théâtre de mœurs se réclame ouvertement de la tradition molièresque. Son thème favori est celui du mariage et de la dot. Une multitude de petites pièces sont jouées sur ces motifs dans les villes de l'Afrique Noire francophone ; elles amusent beaucoup un public avide de participation. *Trois prétendants, un mari* (Abbia Clé, Yaoundé, 1966), du Camerounais Guillaume Oyono, est une comédie traitée avec beaucoup de verve. Les Togolais Modeste d'Almeida et Gilbert Lacle ont traité, sur le mode grave, dans leur pièce *L'étudiant noir,* du problème du mariage et de l'option que doit souvent affronter la jeune élite africaine entre l'action en Europe et les responsabilités, ingrates, au pays natal.

La satire n'est pas absente du théâtre de mœurs, notamment au Cameroun. La prévarication, le chômage des petits lettrés fournissont des thèmes qui éclairent la vie publique et tendent à la réformer.

10. Le lyrisme.

La poésie négro-africaine doit beaucoup à Aimé Césaire (né en 1912 au Lorrain, Martinique) et à Léopold Sédar Senghor (né en 1906 à Joal, Sénégal). Le premier fut un exemple de hardiesse, de courage, aussi bien dans le style que dans l'idée ; le second fut un exemple de fidélité à la nature africaine, à soi-même, en même temps qu'un modèle de haute conscience artistique.

Quelques réflexions préliminaires seront consacrées à Birago Diop, dont l'art est, du point de vue formel, très proche de celui de l'Europe de 1914. Son inspiration se caractérise par une nette démarcation entre la source européenne et la source africaine. Cette ambiguïté existe aussi chez Senghor, mais c'est à l'intérieur même du poème qu'il faut la rechercher ; chez Birago Diop, il existe deux groupes de poèmes bien définis.

Il sera ensuite donné un aperçu de l'œuvre poétique de Senghor et de celle des jeunes écrivains qui ont débuté après 1950. Nous voyons en eux « les poètes de la renaissance noire » ; ils définissent et exaltent la négritude ; leur lyrisme est, pour une bonne part, contemplatif ; ils sont attentifs au charme de l'image, au rythme et à la musicalité. On trouve néanmoins chez eux, Senghor inclus, de nombreuses allusions au climat moral né du racisme ou de la politique ex-coloniale.

Quelques lignes finales traiteront de la poésie combattante, dont David Diop fut le représentant typique.

Birago Diop : un poète et deux âmes

En 1960, Birago Diop a publié un recueil de poèmes, *Leurres et lueurs* (Présence Africaine). Ces poèmes, écrits à des époques très diverses (entre 1925 et 1948, d'après les dates indiquées par l'auteur), sont purement descriptifs et contemplatifs.

Le goût de la recherche et du travail bien fait se marquent dans la prédilection de Birago Diop pour le sonnet. L'un des meilleurs est celui qui ouvre le recueil :

Liminaire

Des yeux m'ont regardé dont maintenant je doute,
Des Yeux très lourds, des Yeux très las, des Yeux très doux.
Des Voix ont murmuré, qui, depuis, furent toutes,
Des Voix mortes ailleurs et que j'entends partout.

Lueurs qui jalonnez mon hésitante Route,
Leurres des Jours partis vers je ne sais plus où,
Souvent, me retournant, je les cherche et j'écoute :
Leurs Echos, leurs Reflets, m'arrivent-ils de vous ?

Des Bouches ont souri, mais sur d'autres Visages,
Et des Corps ont passé laissant dans leurs Sillages
Des Traces qui plus tard hantèrent d'autres Corps.

Des Rythmes ont surgi berçant d'autres Accords ;
Mais, Leurres et Lueurs, de vos défunts Présages,
Naissent des Rêves lourds comme des Enfants morts.

Ces poèmes se caractérisent par la place qu'y tient l'esprit africain, pris à ses sources, c'est-à-dire en brousse, et par une sentimentalité intimiste qui est la marque des hautes cultures individualistes. Ce recueil a deux âmes.

Le paysage africain, soudanais surtout, est joliment évoqué dans *Présage* (p. 83) et dans *Diaka* (p. 78). La cosmogonie et les croyances religieuses ancestrales fournissent les sujets d'*Incantation* (p. 77), de *Dyptique* (p. 80, belle évocation de la savane), de *Viatique* (p. 71) et de *Souffles,* la fameuse ballade que l'on trouve dans le conte *Sarzan. Le chant des rameurs,* est une indéniable réussite formelle qui met en relief la musicalité de la langue de Birago Diop :

.. ..

J'ai demandé souvent
Ecoutant la Clameur
D'où venait l'âpre Chant
Le doux chant des Rameurs.

Un soir j'ai demandé aux complaisants roseaux
Où allait l'âpre Chant, le doux Chant des Bozos.
Ils m'ont dit que le Vent messager infidèle
Le confiait là-haut à un petit Oiseau ;
Mais que l'Oiseau fuyant dans un furtif coup d'ailes
L'oubliait quelquefois dans le ciel indigo.

.. ..

Mélancolie et tristesse — expression du regret de la jeunesse perdue — caractérisent les poèmes d'inspiration non africaine(mais composés sur les routes d'Afrique les plus diverses). Les cinq poèmes groupés sous le titre « Presque... » sont les plus représentatifs de cette tendance sentimentale.

Maintenant meurtris seuls et sages
Assis au bord des longs chemins
Nous cherchons les jeunes visages
Qui charmèrent nos beaux matins.

(Sympathie.)

Je traîne à chaque pas un boulet trop lourd
Fait de regrets, d'ennuis, de souvenirs moroses...

(Lassitude.)

A nouveau tout va se remplir
De l'arôme des souvenirs ;
Mois vides et semaines mornes,
Passé si loin, passé si près
Que jalonnaient, tristes cyprès,
Les jours faits de rêves sans borne.

(Baume.)

Ces exemples montrent que l'accentuation et la métrique ne sont pas parfaites dans l'œuvre poétique de Birago Diop, mais la justesse du ton et l'unité de l'inspiration font oublier les négligences techniques, assez rares.

Les maîtres de Birago Diop paraissent être en poésie Verlaine, Samain, Verhaeren.

... Lentes, lentes, les barques glissent,
Ainsi que de lointains accords,
Et des rêves d'amour languissent
Sur la trame des rêves morts.

(Rêve d'avril.)

et Rimbaud,

La Note figée au-dessus du Théorbe
Danse sur la portée où bémolise un Si,
Les doigts sont souillés des larmes de l'Euphorbe
Qu'encor têtent des nourrissons sans souci.

(Décalques, 5.)

Léopold Sédar Senghor et les poètes de la renaissance noire

1° Senghor.

Suivant l'exemple des maîtres classiques, Senghor offre au lecteur une œuvre peu volumineuse, mais soigneusement élaborée.

La création artistique et la forme adoptée dépendent assez peu — on le sait — de la volonté de l'écrivain ; le tempérament, le milieu dans lequel son esprit est placé, le genre de vie qu'imposent les circonstances jouent un rôle important dans la genèse de son art. Dans le cas de Senghor, on constate que son œuvre poétique est à peu près complète dès 1956, avec la publication d'*Ethiopiques,* dont les belles *Epîtres à la princesse* marquent une option, empreinte d'un risque douloureux en faveur de la terre natale. La grande période créatrice se situe, comme il est normal, entre la vingtième et la quarantième année (1926-1946) : les *Chants pour Naett* (1949, Seghers) la closent. Ce sont ces chants que reprend, dans une version remaniée, le recueil *Nocturnes,* sous le titre de *Chants pour Signare ;* il y a, dans la comparaison de ces deux versions, belle manière pour les philologues. Il est probable qu'apparaîtra quelque jour un nouveau Senghor, une nouvelle personnalité littéraire. C'est pourquoi, il n'est ni prématuré ni ridicule de se pencher sur l'œuvre poétique réalisée avant que ne soient intervenus les profonds changements que les responsabilités politiques n'ont pu manquer d'apporter dans la vie de Senghor. Quelques faits d'évolution, quelques caractéristiques de style, un bref examen de la bibliographie récente feront l'objet des paragraphes qui vont suivre.

Chants d'ombre (1945) est surtout un recueil du souvenir, où l'évocation de l'enfance joalienne, de l'atmosphère du pays sérère (le Sine) est fréquente. Le ton est celui de l'exil ; nostalgie, lassitude, plainte sourde... la trompette de l'orchestre de jazz ;

Ma tête rythmant
Quelle marche lasse le long des jours d'Europe où
parfois

Apparaît un jazz orphelin qui sanglote sanglote sanglote.

(Joal.)

Me lasse mon impatience atteinte. Oh ! le bruit de la pluie
sur les feuilles monotones !
Joue-moi la seule « Solitude », Duke, que je pleure jusqu'au sommeil.

(Ndéssé ou Blues.)

Ce sont des poèmes personnels dans lesquels le mouvement paraît plus important que l'arrêt du regard. L'image est rapide, demeure prise dans le champ du moi lourd de ses forces inemployées :

Mes ailes battent et se blessent aux barreaux du ciel bas
Nul rayon ne traverse cette voûte sourde de mon ennui.

(Ndéssé ou Blues.)

La tonalité fière, épique, est déjà présente, principalement dans la pièce dédiée à René Maran, *Que m'accompagnent koras et balafongs,* et dans le poème final, *Le retour de l'enfant prodigue.* L'apostrophe à l'Europe, à la fois vigoureuse et tendre, apparaît avec *Neige sur Paris.*

Hosties noires (1948) groupe des poèmes écrits entre 1936 et 1944. Le lien est formé par la souffrance de l'homme noir dans la guerre de type européen ou en présence de cette guerre : guerre d'Ethiopie, guerre d'Espagne, seconde guerre mondiale. De façon très naturelle, la tonalité épique domine. Le style, actif et vif, ne diffère pas de celui du recueil précédent, dont il est contemporain. *Hosties noires* est le recueil de la poésie militante : c'est dans ses pages que se trouvent les protestations les plus vibrantes de Senghor contre la discrimination raciale et la discrimination sociale. L'Afrique est partout présente, mais ce n'est pas la souffrance intime qui la fait surgir : ce sont le courage de l'homme noir et l'indignation provoquée par l'injustice qui le frappe. *Lettre à un prisonnier* et *Prière de paix* (*pour grandes orgues*) nous semblent être typiques et particulièrement belles. Notons cet usage de la prière (*Prière des Tirailleurs sénégalais, Prière de paix*) par laquelle s'expriment la sagesse et l'espoir du poète.

Ethiopiques (1956) et *Nocturnes* (1949-1961) sont, par opposition aux précédents, des recueils contemplatifs. Le poète s'élève au-dessus de ses problèmes personnels. Son combat prend de nouvelles dimensions et devient serein. L'idée, exprimée en vagues d'images, dompte le sentiment. L'expression tend à s'immobiliser dans une aspiration à l'éternité: le verbe actif s'espace. La sonorité tend à l'emporter sur le rythme, d'où une finesse nouvelle de la langue. Nombre de pièces rappellent la ballade française et germanique, mais le souffle est plus long :

Mon empire est celui des proscrits de César, des grands bannis de la raison ou de l'instinct
Mon empire est celui d'amour, et j'ai faiblesse pour toi femme
L'Etrangère aux yeux de clairière, aux lèvres de pomme cannelle au sexe de buisson ardent
Car je suis les deux battants de la porte, rythme binaire de l'espace, et le troisième temps
Car je suis le mouvement du tam-tam, force de l'Afrique future.
Dormez faons de mon flan sous mon croissant de lune.

(Le Kaya-Magan.)

L'homme se fond fréquemment dans la nature terrestre et cosmique. Les éclairages crépusculaires, les lueurs nocturnes animent de nombreuses images :

Ma tête sur le sable de ton sein, mes yeux dans tes yeux d'Outre-mer
Quand les piroguiers de la Grand-Mer nous livreront-ils les poissons du rêve ?
Notre pagne est d'or blanc, d'or rouge les nuages notre haut pavillon seigneurial.
Vois les deux cités par-delà le bolong, la pourpre des vivants la cité bleue des Morts.
Je rêve le soir d'un pays perdu, où les Rois et les Morts étaient mes familiers.
Soufflent tes mains leurs alizés dans mes cheveux, qui bruissent de délices.

Oh ! leur chant dans les hautes palmes ou sur l'aile des goélands, je ne sais trop.
Que je dorme sur la paix de ton sein, dans l'odeur des pommes-cannelles.
Nous boirons le lait de la lune, qui ruisselle sur le sable de minuit.

(Lasse ma tête mienne-ci. Nocturnes.)

L'élégie, qui n'est pas toujours triste, caractérise ces recueils. Elle prend parfois la forme du poème dramatique, cas de *Chaka* (*Ethiopiques*) et d'*Elégie pour Aynina Fall* (*Nocturnes*).

Il est remarquable que ces deux derniers recueils soient exclusivement composés de chants, y compris les *Epîtres à la princesse*, ce qui n'est pas le cas des deux premiers recueils.

Le rôle de la musique est donc essentiel dans l'œuvre de Senghor. Il y a là un élément technique qui demande une certaine préparation de la part du lecteur européen. Des éditions accompagnées d'une étude adéquate de la musique africaine ainsi que des disques montrant comment le poème peut, en wolof ou en français, devenir chant, nous paraissent souhaitables.

Les inédits publiés par Armand Guibert dans *Léopold Sédar Senghor* (Seghers, collection « Poètes d'aujourd'hui », 1961) contiennent des *Chants gymniques*, œuvres de Marone N'Diaye, traduits, préfacés et commentés par Senghor : ces chants fournissent d'utiles éléments de comparaison pour comprendre l'esprit et la forme d'une œuvre formant charnière entre l'art oral africain et la littérature d'art européenne. Ces inédits contiennent en outre les traductions d'un chant bantou et de deux chants bambaras. Tous ces travaux de traduction et de présentation de l'art oral honorent Senghor. Il faut souhaiter que ce haut exemple séduise la jeunesse compétente et donne lieu à une floraison de recueils similaires.

Le livre d'Armand Guibert se recommande par maintes autres nouveautés : une biographie aussi précise qu'il est possible s'agissant d'un auteur vivant, une iconographie suggestive pour qui aime regarder l'Afrique, une précieuse analyse de l'africanité poétique, des textes en prose peu connus, une bibliographie nourrie.

Armand Guibert est également l'auteur d'un *Léopold Sédar Senghor* publié dans la collection « Approches » des Editions Présence Africaine (1962). Ce petit volume a la précieuse particularité de contenir dix explications de texte concernant des poèmes excellemment choisis, extraits des quatre recueils. Elles ne répondent pas à toutes les questions que peut poser un lecteur épris de précision, mais apportent bon nombre de renseignements utiles sur les images, les idées et la musicalité. Les enseignants ne peuvent les ignorer. Nous souhaitons que cette œuvre soit continuée et approfondie, car l'effort de création chez Senghor se situe à un niveau que le lecteur normalement cultivé ne peut atteindre sans aide.

2° Autres poètes.

Le poète congolais Tchicaya U'Tamsi s'est acquis la notoriété avec la publication de son quatrième recueil de poèmes *Epitome* (Société nationale d'édition et de diffusion, Tunis, 1962), préfacé par Senghor. Ce recueil est de lecture difficile, en raison du grand nombre des images et des équivalences auxquelles il faut d'abord donner un sens. Il ne nous paraît pas superflu qu'un recueil de ce genre soit accompagné d'un petit glossaire ou de quelques éclaircissements apportés par l'auteur ou l'un de ses porte-paroles. Les amateurs d'énigmes ne seront pas obligés de feuilleter cette partie du livre. Les lecteurs qui n'ont aucune foi en la vertu des mots, mais qui ne se désintéressent pas pour autant des efforts de l'homme vers plus de liberté, pourront dominer leur irritation et sauront gré à l'auteur de cette attention. Nous laisserons à d'autres ou à l'auteur lui-même le soin d'expliquer ce que sont dans *Epitome* le saulnier et la mer, l'arbre et la momie, la vertèbre et l'épine dorsale, la lune et les nénuphars, parmi maintes autres images. Il serait intéressant de savoir quelles sont celles qui font partie du patrimoine lyrique équatorial et celles qui expriment au contraire ce moment de la personnalité de Tchicaya U'Tamsi.

Ce qui est certain, directement perceptible, c'est que Tchicaya U'Tamsi est un moraliste — un moraliste brutal, ironique, irrité :

« Rien n'est pur qui écarte le mélange de tout, dirai-je que la vraie pureté se fout de toute pureté... (p.18).

» Je suis extensible comme tout cœur honnête. » (P. 35.)

Ce réalisme est de bon aloi. Le « je » qui apparaît partout dans ce livre l'est moins : cet excessif repli sur soi-même explique la tristesse qui disloque l'homme dans ces poèmes. A cet égard, *Epitome* est d'un autre âge et peut-être d'un autre continent. Le contact de la réalité africaine, toute chaotique qu'elle soit, est exaltant : il permet tous les sacrifices, car le peuple a un immense besoin de l'aide de ses enfants instruits. Il est juste d'ajouter que Tchicaya U'Tamsi a tenté cette expérience, mais peut-être trop rapidement.

Ce contact avec la réalité africaine concrète — auquel continue à aspirer le poète écartelé (d'où son ironie) — est le sujet du *Ventre*, recueil publié aux éditions Présence Africaine en 1964, comme l'indiquent les mentions de Kin (Kinshasa) et de juin 1960. Tchicaya a fourni quelques éclaircissements sur la signification de ce recueil dans une interview accordée à *Afrique* (juillet 1966) : « Le Ventre est la traduction fidèle d'un mot bantou dont l'amplitude est beaucoup plus grande que le mot français. Le ventre, c'est la source de la vie... ». De belles et difficiles images émaillent cette plaquette. Tchicaya a proclamé son admiration pour Rimbaud mais son attitude artistique et intellectuelle n'est pas sans rappeler celle de Nietzsche.

Nous aimons la tristesse ouverte qui émane du recueil *Ce dur appel de l'espoir* (Présence Africaine, 1960) de l'Ivoirien Joseph Miézan Bognini (né en 1936). Le poème *Jours forcés* en donne un bon exemple :

Le soleil qui brille et s'éteint
Au moment où je passais là
Longe les côteaux sablonneux
Et le doux vent de la mer
Qui berce et te recueille.
A l'heure où le jour tombe, j'ai
Vu souffrir mon père.

Nous aimons aussi dans ce recueil une certaine exigence sans laquelle la jeunesse ne remplit pas son office :

Sitôt que nous voyons paraître le jour
Nous nous apprêtons à lui tenir tête
Nous regardons le vide et le
Comblons d'ambitions vulgaires.

(Apparition.)

Remarqué par Roger Mercier et Lilyan Kesteloot, un autre Ivoirien, Anoma Kanié, a publié *Les eaux du Comoé* (Editions du Miroir, 1951). Ce que nous avons pu lire de ce recueil, nous a révélé, outre de fortes images personnelles, une aspiration à la pureté originelle de la vie africaine, une aspiration à la libre méditation, qui exercent sur le lecteur un attrait certain.

Avec *Primordiale du sixième jour* (Présence Africaine, 1963), Lamine Diakhaté est un chantre très pur de la renaissance africaine. Le sujet même de ce recueil de vingt-six poèmes brefs est la naissance et l'ascension de l'homme et de la femme noirs. La langue est fluide, simple, soutenue par les images d'un rêve personnel dans lequel la lumière domine :

Une plaine d'eau, des sentiers de fleurs,
une toiture de nuages rutilants,
de loin en loin des piquets de paix,
les ombres graves et persistantes des Ancêtres,
des lits flottants à la blancheur du soleil
à midi aux quatre horizons.

L'amour est partout présent dans ce recueil, depuis sa forme la plus commune (XVII : *Tu étais plus belle ce jour*) jusqu'à la plus élevée :

Mon désir ! un rêve
un vent fraternel violemment
sur toute la terre.

Lamine Diakhaté a complété sa plaquette par deux poèmes liés à l'activité politique : *Léopoldville*, relatif à la crise congolaise, et *La proclamation*, relatif à la naissance de la Fédération du Mali.

Le titre *Reliefs* du Sénégalais Malik Fall (Présence Africaine, 1964) est un hommage rendu aux poètes Senghor, Birago Diop, David Diop, Lamine Diakhaté, après le passage desquels l'auteur suggère qu'il n'a que peu de choses à dire. Les poèmes *Les fumeurs, L'attente, Mère Awa, La prière de Mariama,* du chapitre *Sentiments* placé sous le patronage de Birago Diop, expriment cependant de façon émouvante et personnelle un amour du pays natal qui méritait d'être chanté. On apprécie également la généreuse idée qui inspire le chapitre IV, *Communion,* précédé avec raison d'un épigraphe de Lamine Diakhaté.

Senghor a préfacé *Esanzo, chants pour mon pays* (Présence Africaine, 1955) d'Antoine Roger Bolamba, poète du Congo ex-belge. Ce recueil est surtout descriptif. Du recueil *Premier chant du départ* (Martial Sinda, 1955), on peut retenir les *Chants pour une jeune Congolaise* dont certaines strophes valent par la finesse et la fraîcheur des sentiments.

La poésie protestataire : David Diop

Nous appelons poésie protestataire celle dans laquelle dominent les sentiments de révolte contre le racisme et contre les comportements contraires à la dignité de l'homme noir.

Il n'est guère de poèmes composés avant 1960 dans lesquels ces sentiments ne s'expriment. La colonisation portugaise, la ségrégation raciale en Afrique du Sud et aux Etats-Unis ont entretenu ce foyer passionnel au cours des dernières années. Rétrospectivement, la traite des Noirs, les conquêtes militaires, les vices de la situation coloniale sont évoqués par les poètes.

David Diop (né en 1927 à Bordeaux, décédé accidentellement en 1960) fut le principal représentant de cette poésie, encore que les chants d'amour ne fassent pas défaut dans son œuvre. Dès 1947, ses poèmes percutants furent publiés dans la revue *Présence Africaine.* Senghor leur fit place dans l'*Anthologie de la nouvelle poésie nègre et malgache de langue française* (1948), et l'on peut penser qu'ils ne furent pas sans agir sur la sensibilité de Sartre, dont l'*Orphée noir* servait de préface au recueil. Dans *Coups de pilon* (Présence Africaine, 1955), on retrouve la même inspiration obsédante et la même violence d'expression. Diop dénonçait ce qu'il estimait être l'avidité et l'hypocrisie du Blanc, sans excepter les missionnaires religieux ; les poèmes *Les vautours, La route véritable, Certitude, Nègre clochard,* figuraient parmi les plus significatifs. L'auteur attaquait aussi le lettré noir séduit par l'Europe (*Le Renégat*). L'une des pièces les plus vibrantes du recueil, *A un enfant noir,* est relative au lynchage du jeune Emmet Till, qui a tant ému l'opinion mondiale. Le style de David Diop se caractérise par une intensité nerveuse exceptionnelle qui se retrouve dans des poèmes aussi peu agressifs que *A ma mère, Les heures, A une danseuse noire, Rama Kam.* Le final de *Nègre clochard,* poème dédié à Aimé Césaire, nous servira d'exemple pour montrer l'autorité et l'authenticité de cette poésie :

J'aiguise l'ouragan pour les sillons futurs
Pour toi nous referons Ghâna et Tombouctou
Et les guitares peuplées de galops frénétiques
A grands coups de pilons sonores
De pilons
Eclatant
De case en case
Dans l'azur pressenti.

Comme on le voit, David Diop fut aussi un poète prophétique de la renaissance noire.

⁂

Présence Africaine aura peut-être donné une nouvelle impulsion à la création poétique en publiant en 1966 un cahier spécial intitulé *Nouvelle somme de poésie du monde noir.* Il s'agit d'une anthologie universelle, une place égale étant faite aux diverses langues européennes utilisées.

Dans la partie française, nous avons noté un accent nouveau, celui d'un humour lié à une sensibilité délicate, chez le Malien Yambo Ouologuem.

Nous ont également intéressé les œuvres de Boundzeki-Dongala (Congo-Léopoldville), Youssouf Guèye (Mauritanie), Pierre Bambote (République Centre-Africaine), Sall Momar Betty (Sénégal) et le poème de Francis Bébey (Cameroun) « Qui est-tu ? » qui trace le portrait d'un griot malien.

1. La littérature en liberté.

Se laissant guider par leur tempérament, certains auteurs africains ont essayé de s'exprimer en dehors des genres classés. Ils l'ont souvent fait en mêlant divers genres dans le même ouvrage.

L'essai le plus caractérisque dans ce domaine est sans doute *Le soleil noir point* (Présence Africaine, 1962) de l'Ivoirien Charles Nokan. Cet ouvrage, qui est un écrit de combat, se compose de 64 tableaux répartis sur 70 pages. Ces tableaux sont écrits au présent. Ils sont constitués tantôt par des descriptions d'atmosphère, tantôt par des dialogues scéniques, tantôt par des lettres, tantôt par des textes de liaison romanesques, tantôt par des discours intérieurs qui peuvent être aussi des pages de journal intime : mentionnons encore les chœurs, les songes et de nombreux passages didactiques, surtout vers la fin du livre.

Le soleil noir point est l'expression d'un romantisme juvénile, au langage boursouflé, que l'Europe goûta au siècle dernier et dont elle est lasse. *Le soleil noir point* peut passer pour un descendant fragile de ces poèmes humanitaires dont Gœthe donna le meilleur et imparfait exemple avec les deux *Faust,* et qui furent surtout des échecs, tels l'*Ahasvérus* de Quinet et le *Diablo mundo* d'Espronceda. Comme ces œuvres, il se réclame ouvertement de la liberté shakespearienne (p. 38) ; il manque seulement quelques degrés de puissance dans l'élan vital.

Certains éléments sont, il est vrai, propres à notre époque, tels le réalisme érotique (tableaux 12 et 21) ou les tendances idéologiques qui allient mystérieusement la froideur marxiste à l'ardeur nietzschéenne (les classiques de Gnassé, tableau 40).

Le soleil noir point se décompose, sans que l'auteur le dise, en deux ouvrages. Le premier relate la vie d'un étudiant noir en France : c'est l'histoire de Tanou (pp. 19 à 36) ; elle confirme pour l'essentiel ce que nous avait appris Aké Loba dans *Kocoumbo*. La seconde partie relève de ce que l'on peut appeler la littérature des phalanstères : cette littérature montre la réalisation d'un idéal de vie sociale par un groupe d'hommes et de femmes passionnés, généralement jeunes. Ici, le livre de Nokan se peuple subitement, offrant une galerie de portraits qui sont plutôt l'exposé de quelques idées simples que l'expression de personnalités vivantes. Le livre a été écrit en août 1959 ; il mêle le combat pour l'indépendance (qui fut effective en 1960) à la propagande socialiste.

En conclusion, *Le soleil noir point* constitue une intéressante tentative de créer un genre littéraire qui convienne à la générosité un peu anarchique de la jeunesse africaine. Cette tentative formelle mérite une large diffusion. En revanche, il est nécessaire de mettre cette même jeunesse en garde contre les raideurs et les artifices de langage qui laissent finalement un pénible sentiment de truquage et donnent à l'œuvre un goût de mort bien involontaire.

En 1966, Charles Nokan a publié aux éditions Présence Africaine un roman en cinq parties, elles-mêmes divisées en un grand nombre de tableaux et fragments de prose poétique : *Violent était le vent*. L'aspect général est semblable au récit *Le soleil noir point* mais le style, plus concis, plus évocateur, nous a paru nettement supérieur à celui de l'œuvre précédente. Le thème est celui de l'affrontement d'une jeunesse généreuse, (« Il nous faut nous pencher sur les misères des peuples, panser les plaies de tous les hommes... ») avec un système politique d'abord soucieux de conquêtes matérielles dont les premiers bénéficiaires forment une classe limitée. Nokan est peut-être le meilleur représentant africain d'une jeunesse internationale qui voudrait faire disparaître l'égoïsme inhérent au système capitaliste tout en conservant ses vertus de progrès.

Les œuvres que Fily Dabo Sissoko publia à la fin de sa vie sont assez étranges. La meilleure d'entre elles, *La savane rouge*, mêle curieusement les mémoires, les documents historiques, les évocations poétiques ; la forme de base est le verset, qui recèle en réalité une belle prose. C'est à travers Sissoko que la renaissance orientale, indianiste surtout, a le mieux touché la littérature africaine.

Grandes eaux noires (Scorpion, 1959) du Nigérien Ibrahim Issa est une œuvre qui frappe par sa bizarrerie. Une légende fantastique, de création personnelle, traitant des Garamantes, se trouve parsemée de réflexions sur les mœurs et les problèmes actuels ; le meilleur paraît en être constitué par les tableaux de la vie de brousse, qui sont le fruit de l'expérience personnelle de l'auteur. La langue est défectueuse. Des usages familiers, des anachronismes comme ceux que nous avons signalés à propos de *Crépuscule des temps anciens* enlaidissent le texte.

12. La critique.

La chronique périodique et l'essai sont les principaux instruments de la critique. Le compte rendu périodique a surtout valeur d'information. L'essai résulte de l'affrontement d'une œuvre avec la somme culturelle personnelle du critique ; il peut commander de nouvelles orientations de la pensée et de l'action.

La chronique littéraire la plus importante est actuellement celle que tient Olympe Bhêly-Quénum dans le mensuel *L'Afrique actuelle* Cette chronique, écrite avec vivacité, fait peu de concessions à la médiocrité, qu'elle soit de forme ou de fond. Ses autres qualités sont : une excellente information, tant documentaire que personnelle, une bonne expérience (de romancier et d'enseignant), l'humour et la finesse psychologique. On est en droit d'attendre d'Olympe Bhêly-Quénum une histoire de la littérature négro-africaine écrite à cœur ouvert et, dès lors, passionnante.

Bhêly-Quénum tint également la chronique philologique (« Parlons et écrivons correctement... ») de *Bingo*, où son nom se retrouvait en 1964 à côté de celui d'un autre Dahoméen, Paulin Joachim, responsable de l'éditorial et de la rubrique « Les livres ». Paulin Joachim, dont le style est à peine moins vif que celui de son collègue, est très soucieux d'inculquer à la jeune littérature africaine un esprit de modestie qu'un certain engouement menace de lui faire perdre depuis quelques années. Sa critique est donc moins aimable, plus empreinte aussi de rhétorique, que celle de Bhêly-Quénum. Dans un éditorial intitulé « Méfions-nous des marchands de livres » (*Bingo*, août 1964) Paulin Joachim a prié les amateurs français de bien vouloir renoncer à l'usage de l'encensoir. Sous le titre *Editorial africain* (*Bingo*, 1967), il a réuni une quarantaine d'éditoriaux publiés entre 1962 et 1967. Ces textes sont groupés sous deux rubriques : « politique », « culture et traditions ».

Lamine Diakhaté eut le mérite de tenir une chronique littéraire régulière dans *Afrique en marche* (1957-1958). Ses notes, un peu trop imprécises pour des chroniques monographiques, étaient constructives et demeurent de consultation profitable.

L'essai critique occupe une place honorable dans l'œuvre de Senghor comme on s'en convaincra en parcourant *Liberté I*. Avec une patiente opiniâtreté, Senghor analyse la négritude en action chaque fois que l'occasion s'en présente ; ses remarques sont particulièrement précises et précieuses quand elles s'appliquent à la poésie lyrique. Quelques-uns de ces essais sont des préfaces : *Le réalisme d'Amadou Koumba, Bolamba, D'Amadou Koumba à Birago Diop, Tchicaya, ou de la poésie bantoue à la poésie négro-africaine, Peter Abrahams, ou le classique de la négritude, Lamine Niang, poète de la négritude*. D'autre sont des articles d'orientation, tel, celui qu'écrivit Senghor pour prendre la défense de Laye Camara en 1954. « Laye Camara et Lamine Diakhaté, ou l'art n'est pas d'un parti » (reproduit dans *Liberté I*, p. 155).

La revue *Présence Africaine* rend compte de la plupart des livres qui paraissent en Afrique.

[illegible] vouloir renoncer à l'usage de l'[illegible], sous le titre [illegible] (Dinge? 1967), il a réuni un [illegible] éditoriaux publiés entre 1962 et 1967. Ces textes sont groupés sous [illegible] : « politique », « culture et traditions ».

Lamine Diakhaté fut le premier à tenir une chronique littéraire régulière dans *Afrique en marche* (1957-1958). Ses notes, un peu trop imprécises pour des chroniques monographiques, étaient courtes et demeurent de contribution profitable.

L'essai critique occupe une place honorable dans l'œuvre de Senghor, comme on s'en convaincra en parcourant *Liberté I*. Avec une patience [illegible], Senghor analyse la négritude en action chaque fois que l'occasion s'en présente ; ses remarques sont particulièrement précises et pertinentes quand elles s'appliquent à la poésie lyrique. Quelques-uns de ces essais sont des préfaces : *Les Chansons d'Amadou Koumba*, *[illegible]*, *D'Amadou Koumba à Birago Diop*, *[illegible]*, ou de la poésie bantoue à la poésie noire africaine, *Peter Abrahams, ou le classique de la négritude*, *[illegible], poète de la négritude*. D'autres sont des articles d'orientation, tel celui qu'écrivit Senghor pour prendre la défense de Laye Camara en 1954, « Laye Camara et Lamine Diakhaté ou l'art n'est pas d'un parti » (reproduit dans *Liberté I*, p. 155).

La revue *Présence Africaine* [illegible] de la plupart des livres qui paraissent en Afrique.

CONCLUSION.

Ce n'est qu'au début du XXe siècle que furent réunies les conditions sociales et institutionnelles qui permettaient la naissance d'une littérature négro-africaine de langue française. Jusqu'alors, beaucoup de peuples d'Afrique ne s'exprimaient qu'oralement, dans le cadre d'une sagesse située hors du temps ; l'art verbal contribuait à assurer la permanence d'une humanité qui donnait la première place aux liens du sang. La culture islamique — son écriture et sa littérature didactique — avait toutefois touché les pays voisins du Sahara et s'était infiltrée le long des grands axes commerciaux ; la littérature musulmane noire reste particulièrement sévère et exerce une influence non négligeable sur les littératures utilisant les langues européennes (Cheikh Hamidou Kane, *L'aventure ambiguë ;* Camara Laye, *Dramouss ;* Mamadou Gologo, *Le rescapé de l'Ethylos,* et bien d'autres ouvrages sénégalais, maliens, tchadiens). L'art oral et le style de vie musulman ont en commun une gravité qui est assez caractéristique de la littérature négro-africaine : l'écrit et le rire font mauvais ménage en Afrique Noire. A l'inverse, la parole admet peu l'expression sincère et profonde en dehors des cultes ; la parole appartient au corps et à sa joie ; elle reste aliénée, fuit les drames personnels ou généraux — d'où l'importance de la plaisanterie, de la cocasserie, du conte, de l'image dans la conversation. Cette pudeur de l'art oral est la cause de la richesse inventive qui se note dans le chant (la poésie lyrique), le conte, le proverbe, la sentence et la devinette, même lorsqu'ils sont appauvris par les timidités et les oublis rationnels de l'écriture.

Ceux que l'on appelle les « Ancêtres » — les premiers enseignants sortis des écoles normales — firent modestement connaître l'Afrique par des études sur les mœurs et l'histoire de leurs compatriotes. Quelques-uns d'entre eux demeurèrent dans l'ombre, tout en étant vénérés de leurs élèves : Mamby Sidibé, Ahmadou Diagne, Bendaoud Mademba, Diguy Kanté, Bouillagui Fadiga, Alexandre d'Oliveira, entre autres. D'autres eurent la chance d'accéder à la célébrité que confère le livre : Paul Hazoumé dès 1938, Fily Dabo Sissoko après 1950, Boubou Hama et Dominique Traoré après 1960.

Ce fut vers 1934 que les premiers étudiants africains en France — parmi lesquels Léopold Sédar Senghor, Birago Diop, Ousmane Socé Diop (*Karim,* 1935) — commencèrent à se manifester, appuyant un vétéran qui fut un juriste mais aussi un enseignant, Lamine Gueye. Ce mouvement se renforça à l'occasion de la seconde guerre mondiale et perça dans le domaine littéraire peu après la fin du conflit : Senghor en 1945, Birago Diop en 1947. Ces apôtres de la Négritude — qui reçurent un puissant appui de Présence Africaine, dirigée par un enseignant, Alioune Diop — restent fortement marqués par la culture française du premier demi-siècle. Ils s'efforcèrent d'allier cette culture à celle de leur peuple, donnant de l'Afrique une image tendre, digne et magnifique, mais peut-être irréellement paisible dans sa beauté.

Vint ensuite la vague des nouveaux étudiants, lancés dans des sociétés en plein mouvement : elle comprit des protestataires (David Diop, prématurément disparu, Cheikh Anta Diop, Seydou Badian Kouyaté, Ferdinand Oyono) et des observateurs méfiants (Camara Laye, Olympe Bhêly-Quénum, Cheikh Hamidou Kane). Ousmane Sembène émergeait du syndicalisme dans des conditions particulièrement méritantes (nous avouons avoir douté de ses aptitudes en lisant son premier roman, *Le docker noir,* 1956) tandis que Bernard Dadié se frayait lui aussi un chemin difficile à travers les sujétions de la fonction publique locale. Ce mouvement fut dispersé, libre, plein de variété, moins sûr dans la forme que le précédent malgré les grandes réussites de Camara et de Kane.

Les indépendances nationales, peut-être à cause de la mobilisation des énergies qu'elles imposent, ne semblent pas avoir favorisé le mouvement littéraire de façon spéciale. Son intensité n'a pas crû. Le théâtre et l'Histoire ont cependant bénéficié de la situation nouvelle : le premier par un besoin d'exaltation des héros noirs du passé, c'est-à-dire des héros de l'indépendance originelle, le second par le désir de donner des événements politiques une version révisée.

L'humour et le désir d'un approfondissement psychologique tendent à modifier la littérature. Birago Diop avait introduit dans ses contes une malice savoureuse, très proche de celle que l'on goûte en Europe. Les excellents romans de Mongo Beti, publiés entre 1956 et 1958, introduisirent la gouaille et la fronde dans les lettres nouvelles tandis que Ferdinand Oyono maniait vigoureusement, mais à l'aide d'une langue souvent trop rococo, la caricature et le sarcasme (1956-1960). Avec *La plaie* (1967), Malik Fall a repris quelque peu la manière d'Oyono. En poésie, l'humour tient une place importante dans l'œuvre à tendance rimbaldienne et surréaliste de Tchicaya U'Tamsi ; l'humour est patent et plus direct chez Yambo Ouologuem, l'un des poètes révélés par la *Nouvelle somme de poésie du monde noir* (1966).

La littérature négro-africaine, encore mince par son volume, embrasse l'ensemble des problèmes qui se posent à chaque homme, même si, comme il est normal, elle considére par priorité les difficultés auxquelles se heurte l'homme noir sur son continent et hors de son continent. C'est ainsi qu'elle s'attache

1° à situer l'homme dans l'univers et à évoquer ses possibilités (*Le regard du roi, L'aventure ambiguë, Le chant du lac*),

2° à situer l'homme noir dans l'évolution rapide et incertaine de l'humanité moderne, à examiner ses moyens d'attaque et de défense (œuvre poétique de Senghor, de David Diop, de Tchicaya U'Tamsi, parmi d'autres ; œuvre scientifique de Cheikh Anta Diop ; œuvres d'historiens tels que Ki-Zerbo et Djibril Tamsir Niane ; œuvre romanesque et poétique de Bernard Dadié ; *Kocoumbo* d'Aké Loba),

3° à étudier la psychologie et les comportements extérieurs des membres des diverses catégories ou classes sociales africaines, ainsi que les conflits ou menaces de conflits qui peuvent exister entre ces groupes (théories sur le socialisme africain ; romans tels que *Karim, Nini, Maïmouna, Sous l'orage, Afrique, nous t'ignorons ;* toute l'œuvre de Mongo Beti ; *Cette Afrique-là* d'Ikellé-Matiba ; l'œuvre récente d'Ousmane Sembène ; *Dramouss* de Camara Laye).

4° à dévoiler et décrire les harmonies et conflits secrets de l'âme individuelle (*Un piège sans fin* de Bhêly-Quénum, *Le souffle des ancêtres* de N'Zouankeu, *La plaie* de Malik Fall).

La lutte contre la situation coloniale, qui se rattache au point second précisé ci-dessus, fut, jusqu'en 1960, le thème central ou annexe de nombreuses œuvres. Elle a fait place à un combat permanent et universel contre toutes les formes de discrimination raciale et de ségrégation (Cheikh Ndao, *La décision,* par exemple ; poésie exaltant la libération des peuples et groupes noirs assujettis).

Par la voix des écrivains francophones, l'Afrique Noire participe donc de façon vigoureuse et autonome aux débats qui vont décider de l'orientation et, sans doute, de la réussite ou de l'échec de l'humanité terrestre, engagée, non sans précipitation et désordre, dans une tentative de surmonter sa propre nature.

Dans une telle circonstance, ce qui est dit et ce qui est fait valent plus que la manière de dire ou de faire. C'est pourquoi nous n'attachons pas une importance capitale à la forme. Nous n'en sommes que plus libre pour constater la rareté des œuvres étudiées que l'on peut dire exemptes de fautes grammaticales ou lexicales, rareté qui apparaît nettement lorsque l'on entreprend, par exemple, de composer une anthologie scolaire. Ceci ne saurait surprendre. Auprès de ses parents d'abord, à l'école primaire ensuite, l'enfant noir grandit le plus souvent dans un milieu où le français est inconsciemment déformé, car influencé par les tournures d'une ou plusieurs langues locales. Or, jusqu'à ces derniers temps, les manuels de français voulaient ignorer ce milieu étranger. Une révolution se dessine dans ce domaine. Les initiatives se multiplient pour serrer de près les difficultés d'expression du français par comparaison avec les manières vernaculaires d'exprimer les actes, les sentiments et les idées. On s'aperçoit de plus en plus que l'enseignement rationnel du français passe par la connaissance scientifique et le respect des langues africaines. Il est prévisible que cette révolution — seulement amorcée — sera extrêmement bénéfique pour les littératures modernes. Cet effort pour repenser le français, le vivifier, devra s'accompagner de l'étude solitaire des écrivains les plus *exacts* des XVIIe, XVIIIe et XIXe siècles. La présentation des auteurs africains et européens du XXe siècle, trop soumis aux pressions mécaniques de la mode et de la publicité, devra comporter, dans le respect de la liberté poétique, les critiques de forme qui permettront aux écrivains de demain d'accéder à l'éternité de l'œuvre parfaitement réalisée.

Bibliographie du sujet.

(Ordre chronologique.)

1931. Roland LEBEL, *Le mouvement intellectuel indigène*, in *La critique littéraire*, bulletin mensuel de l'Association syndicale de la Critique littéraire, n° 3, du 15 janvier 1931.

1945. Robert DELAVIGNETTE, *L'accent africain dans les Lettres françaises (de Bakary Diallo à Léopold Sédar Senghor)*, in *La Nef*, décembre 1945.

1947. Léopold Sédar SENGHOR, *L'Afrique Noire*, in *Les plus beaux écrits de l'Union française et du Maghreb*. Editions de la Colombe, Paris (pp. 163 à 262).

1950. Georges BALANDIER, *La Littérature noire de langue française*, dans *Le monde noir*, cahier n° 8-9, de *Présence Africaine*.

1956. Georges BALANDIER, *Littératures de l'Afrique et des Amériques noires*, in *Histoire des Littératures*, t. I. Paris, Gallimard, Encyclopédie de la Pléiade.

1957. Lamine DIAKHATÉ, *Littérature africaine de langue française* dans *Afrique en marche* de janvier 1957, n° I. Modeste panorama.

1959. J.-M. JADOT, *Les écrivains africains du Congo belge. Une histoire. Un bilan. Des problèmes.* Académie royale des Sciences d'outre-mer. Bruxelles, 167 pages.

1963. Lilyan KESTELOOT, *Les écrivains noirs de langue française : naissance d'une littérature*. Institut de sociologie de l'Université libre de Bruxelles, 340 pages.

1964. Claude WAUTHIER, *L'Afrique des Africains. Inventaire de la négritude*, notamment le chapitre « Une littérature engagée ». Editions du Seuil. (L'Afrique francophone n'est pas seule examinée.)

1964. V.-P. BOL et J. ALLARY, *Littérateurs et poètes noirs*, in *Documents pour l'action*. Bibliothèque de l'Etoile, Léopoldville. (Cette plaquette de 79 pages comprend : *Introduction à la littérature négro-africaine de langue française*, par V.P. BOL, et *Essai bibliographique*, par J. ALLARY.)

1965. Roger MERCIER, *Les écrivains négro-africains d'expression française*. *Tendances* n° 37, octobre 1965, 24 pages.

1967. Roger MERCIER, *La poésie des Noirs*, 1930-1966. Textes et Documents, n° 28, premier trimestre 1967. Institut pédagogique national. Paris.

1967. Lilyan KESTELOOT, *Anthologie négro-africaine. Panorama critique des prosateurs, poètes et dramaturges noirs du XXe siècle*. Marabout Université. Verviers (Belgique). 420 pages.

Outre les travaux du colloque de Dakar (avril 1963), on pourra consulter encore :

— Les comptes rendus de Jean ALLARY, dans *Afrique-Documents* et les notices bibliographiques qu'il a publiées dans *Documents pour l'action*, de janvier à décembre 1963 (Bibliothèque de l'Etoile à Léopoldville).

— La *Bibliographie africaine et malgache. Ecrivains noirs d'expression française*, que Roger MERCIER a publiée dans la *Revue de littérature comparée*, janvier-mars 1963.

— O.C.O.R.A. Bibliographie. Auteurs africains et malgaches de langue française. Réalisée par Thérèse BARATTE. Deuxième édition, 1968.

Notes bio-bibliographiques.

AKÉ LOBA.

Jeune diplomate ivroirien, Aké Loba a reçu en 1960 le grand prix littéraire de l'Afrique Noire pour son roman *Kocoumbo, l'étudiant noir,* publié la même année aux éditions Fammarion.

BHÊLY-QUÉNUM (Olympe).

Né à Cotonou en 1928, Olympe Bhêly-Quénum n'arrive en France qu'en 1948 et y entreprend courageusement des études secondaires qui le conduisent au baccalauréat (1953), puis à la licence ès lettres (1957-1961). Il fut professeur de lettres et se consacra ensuite au journalisme. Il fut le directeur des importantes revues illustrées *La Vie Africaine* et *L'Afrique actuelle* dans lesquelles il tint la chronique littéraire. Il a publié *Un piège sans fin,* roman, chez Stock en 1960 et *Le chant du lac* à Présence Africaine en 1965. La collection « Littérature africaine » de Fernand Nathan lui a consacré son numéro 4.

BIYIDI (Alexandre).

Voir Mongo Beti.

BONI (Nazi).

Nazi Boni est né en 1912 à Bouan (Haute-Volta). Homme politique connu, il vécut à Dakar pendant plusieurs années et revint en Haute-Volta en 1966. Il a publié *Crépuscule des temps anciens* aux éditions Présence Africaine en 1962.

Boubou Hama.

Né en 1906 à Foneko (Niger), Boubou Hama fut élève de l'E.N. William Ponty. Il fut directeur du centre I.F.A.N. de Niamey. Depuis 1956, il a occupé des fonctions politiques importantes. Après 1960, il présida l'Assemblée nationale de la République du Niger. Il commença à publier dès 1932. Outre de nombreux articles, on lui doit *Enquête sur les fondements et la genèse de l'unité africaine* (1966) et *Recherche sur l'histoire des Touareg sahariens et soudanais* (1967), ouvrages publiés par Présence Africaine.

Camara (Laye).

Camara est né à Kouroussa (Guinée) en 1928. Il fit des études techniques au lycée de Conakry, au centre-école automobile d'Argenteuil, au Conservatoire national des Arts et Métiers, à l'Ecole technique d'aéronautique et de construction automobile. Il servit d'abord dans la diplomatie puis au Centre de Recherches et d'Etudes au ministère de l'Information de la République de Guinée. On lui doit *L'enfant noir* (1953), *Le regard du roi* (1954), *Dramouss* (1966), romans édités par Plon. La vie et les œuvres de Camara sont étudiées dans le numéro 2 de la collection « Littérature africaine » éditée par Fernand Nathan.

Dadié (Bernard Binlin).

Dadié est né en 1916 à Assinie (Côte-d'Ivoire). Issu de l'E.N. William Ponty, il servit onze années à l'I.F.A.N. de Dakar. Il est directeur des Arts et de la Recherche en République de Côte-d'Ivoire. Il a notamment publié chez Seghers des poèmes (*Afrique debout,* 1950 ; *La ronde des jours,* 1956) et un roman (*Climbié,* 1956). Il a publié aux éditions Présence Africaine un recueil de contes, *Le pagne noir* (1955) et deux essais de voyage, *Un nègre à Paris* (1959) et *Patron de New-York* (1964). Ces œuvres variées sont présentées et étudiées dans le numéro 7 de la collection « Littérature africaine » de Fernand Nathan.

DIOP (Birago).

Né en 1906 à Ouakam (banlieue de Dakar), Birago Diop fit ses études secondaires à Saint-Louis. Il sortit docteur vétérinaire de l'Ecole nationale vétérinaire de Toulouse et fit carrière en A.O.F., mais avec des congés en France. Il fait actuellement partie du corps diplomatique sénégalais. Ses recueils de contes sont *Les contes d'Amadou Koumba* (Fasquelle, 1947, et Présence Africaine, 1958), *Contes et lavanes* (Présence Africaine, 1963). *Leurres et lueurs*, recueil poétique, a été édité par Présence Africaine en 1960. Le numéro 6 de la collection « Littérature africaine » (Fernand Nathan) contient de précieuses notes sur la vie et l'œuvre de Birago Diop.

DIOP (Cheikh Anta).

Né fin 1923 à Diourbel (Sénégal), Cheik Anta Diop est docteur ès lettres et licencié ès sciences. Il poursuit actuellement ses travaux dans le cadre de l'I.F.A.N. à Dakar. C'est aussi un homme politique, puisqu'il fut secrétaire général du Front National Sénégalais. Il est notamment l'auteur de *Nations nègres et culture* (1955), *L'unité culturelle de l'Afrique Noire* (1959), *L'Afrique Noire précoloniale* (1960), *Les fondements culturels, techniques et industriels d'un futur état fédéral d'Afrique Noire* (1960), *Antériorité des civilisations nègres, Mythe ou vérité historique ?* (1967), tous ouvrages édités par Présence Africaine.

DIOP (David). 1927-1960.

David Diop mourut dans un accident d'avion survenu aux environs de Dakar en 1960. Il était diplômé d'Etudes supérieures de lettres et s'était rendu en Guinée après 1958 ; il avait notamment enseigné les lettres à l'Ecole normale de Kindia. Son nom figure à côté de celui de Senghor dans l'*Anthologie de la nouvelle poésie nègre et malgache de langue française* (P.U.F., 1947). Présence Africaine édita en 1956 sa plaquette *Coups de pilon*.

Diop (Ousmane Socé).

Né en 1911 au Sénégal, Ousmane Socé passa par William Ponty et fut comme Birago Diop docteur vétérinaire. Comme lui, il fait partie du corps diplomatique sénégalais et y occupe d'importantes fonctions. Ousmane Socé est le fondateur du mensuel *Bingo*. Il publia deux romans avant la deuxième guerre mondiale : *Karim, roman sénégalais* (1935) et *Mirages de Paris* (1937). On lui doit aussi des poèmes, *Rythmes du Khalam*, et des *Contes et légendes d'Afrique Noire*. Toute son œuvre est éditée par les Nouvelles Editions Latines.

Eza Boto.

Voir Mongo Beti.

Fodéba Kéita.

Voir Kéita (Fodéba).

Gologo (Mamadou).

Né en 1924 à Koulikoro (Mali), Mamadou Cologo sortit médecin de l'E.P.S. William Ponty. Il exerça dans différentes circonscriptions du Soudan avant d'être employé par l'Office du Niger. Depuis 1959, il exerce d'importantes fonctions dans le gouvernement de Bamako. Son roman *Le rescapé de l'Ethylos* a été publié par Présence Africaine en 1963.

Hazoumé (Paul).

Né en 1890 à Porto-Novo au Dahomey, Hazoumé fut d'abord instituteur. Il publia différents travaux ethnologiques, dont le plus important est *Le pacte de sang au Dahomey* (1937, Publications de l'Institut d'ethnologie de l'université de Paris). Il a publié en 1938 chez Larose un important roman, *Doguicimi*.

Après 1945, Hazoumé fut conseiller de l'Union française et conseiller territorial du Dahomey. Il appuya de son prestige le mouvement de renaissance littéraire négro-africaine.

IKELLÉ-MATIBA (Jean).

Né au Cameroun en 1936, Ikellé-Matiba s'est distingué par *Cette Afrique-là,* édité en 1963 par Présence Africaine. Cet écrivain est dans les cadres diplomatiques camerounais.

KANE (Cheikh Hamidou).

Né en 1929 dans la région de Matam (Sénégal), Cheikh Hamidou Kane fit ses études supérieures à Paris et obtint le brevet de l'Ecole nationale de la France d'Outre-Mer. Spécialiste des questions économiques, il a occupé d'importantes fonctions au Sénégal et a été détaché auprès de divers organismes internationaux. Son roman, *L'aventure ambiguë,* a été édité par Julliard en 1961, avec une préface de Vincent Monteil.

KÉITA (Fodéba).

Né en 1921 à Siguiri (Guinée)), Fodéba Kéita fit ses études à l'E.P.S. William Ponty et en sortit instituteur. Il fonda le « théâtre africain », dont les représentations le rendirent célèbre vers 1950. Il a publié deux plaquettes chez Seghers : *Poèmes africains* (1950) et *Le maître d'école* (1952). Ses œuvres théâtrales ont été rééditées par Seghers en 1965 sous le titre *Aube africaine.*

KI-ZERBO (Joseph).

Né en 1922 à Toma (Haute-Volta), Ki-Zerbo fit ses études supérieures à Paris : il est agrégé d'histoire. Il fait actuellement partie des cadres enseignants voltaïques. Il a donné d'importantes études à plusieurs périodiques tels que *Présence Africaine* et *Afri-*

que Nouvelle. Hatier a publié de lui un bref tableau des civilisations africaines et de leur histoire sous le titre *Le monde africain noir* (1963).

KOUYATÉ (Seydou Badian).

Seydou Badian Kouyaté est né à Bamako en 1928. Docteur en médecine depuis 1955, il participa aux gouvernements soudanais et malien dans le secteur économique. Il a publié un roman *Sous l'Orage* (Presses Universelles, Avignon, 1957 ; puis, Présence Africaine, 1963) et une pièce de théâtre, *La mort de Chaka* (Présence Africaine, 1961). Son dernier ouvrage, *Les dirigeants africains face à leurs peuples,* a paru fin 1964 chez Maspéro.

LY (Abdoulaye).

Né en 1919 à Saint-Louis, docteur ès lettres, directeur adjoint de l'I.F.A.N., Abdoulaye Ly fut le secrétaire général du Parti du Regroupement Africain (P.R.A.). Ses œuvres les plus importantes sont « Les masses africaines et l'actuelle condition humaine » (Présence Africaine, 1956) et *La Compagnie du Sénégal* (Présence Africaine, 1958) qui reprend l'une de ses thèses de doctorat.

MALONGA (Jean).

Né à Brazzaville en 1907, Malonga entra dans la vie parlementaire en 1948. A ce moment, il avait déjà écrit le roman *Cœur d'Aryenne,* que Présence Africaine publia en 1954 dans *Trois écrivains noirs.* Cette maison d'éditions publia *La légende de M'Pfoumou Ma Mazono* en 1959. Malonga a écrit d'autres légendes publiées au Congo.

MATIP (Benjamin).

Journaliste camerounais, Benjamin Matip a écrit un essai de roman, *Afrique, nous l'ignorons* (1956, éditions R. Lacoste), un essai historique, *Heurts et malheurs des rapports Europe et Afrique Noire dans l'histoire moderne* (*La Nef de Paris,* 1959) et un petit recueil de contes, *A la belle étoile* (Présence Africaine. 1962).

MONGO BETI.

Mongo Beti et Eza Boto sont les pseudonymes d'Alexandre Biyidi, né dans le Sud-Cameroun en 1932, aujourd'hui agrégé de lettres et professeur en France. Encore étudiant, il publia successivement *Ville cruelle* (dans *Trois écrivains noirs,* Présence Africaine, 1954, puis édition séparée), *Le pauvre Christ de Bomba* (Robert Laffont, 1956), *Mission terminée* (Corréa-Buchet-Chastel, 1958). Le numéro 5 de la collection « Littérature africaine » (Fernand Nathan) est consacré à Mongo Beti.

NIANE (Djibril Tamsir).

Professeur guinéen, auteur de *Soundjata ou l'épopée mandingue* (Présence Africaine, 1960) et d'une *Histoire de l'Afrique Occidentale* écrite en collaboration avec J. Suret-Canale (Présence Africaine). Né à Conakry en 1932.

NOKAN (Charles).

Né en 1937 en Côte-d'Ivoire, Charles Nokan, alors étudiant, a publié une sorte de poème dramatique *Le soleil noir point* aux éditions Présence Africaine en 1962. Chez le même éditeur, il a publié *Violent était le vent,* en 1966.

NZOUANKEU (Jacques Mariel).

Né en 1938 à Manjo (Cameroun), Nzouankeu est licencié en droit depuis 1965. En 1968, il est le chef de l'administration pénitentiaire du Cameroun. Il a publié un recueil de nouvelles, *Le souffle des ancêtres,* en 1965 (Abbia Clé, Yaoundé).

OUSMANE SOCÉ.

Voir Diop (Ousmane Socé).

OYONO (Ferdinand).

Né en 1929 près d'Ebolowa (Cameroun), Oyono ne commença ses études secondaires en France qu'en 1950. Docteur en droit, Oyono sert actuellement dans le corps diplomatique camerounais. Il a publié trois romans chez Julliard : *Une vie de boy* (1956), *Le vieux nègre et la médaillle* (1956) et *Chemin d'Europe* (1960). Cette œuvre, accompagnée de notes biographiques instructives, est présentée et étudiée dans le numéro 8 de la collection « Littérature africaine », éditée par Fernand Nathan.

SADJI (Abdoulaye). 1910-1961.

Honneur de Rufisque (Sénégal), où il naquit et fit carrière, Sadji consacra sa vie à l'enseignement primaire. Ses deux principaux romans ont été publiés par Présence Africaine : *Nini* (dans *Trois écrivains noirs,* 1954) et *Maïmouna* (1958). En collaboration avec Senghor, il publia *Leuk-le-lièvre,* livre de lecture pour les cours élémentaires d'Afrique Noire.

SÉID (Joseph Brahim).

Né en 1927 à Fort-Lamy (Tchad), Joseph Brahim Séid est un juriste. Il a exercé les fonctions de magistrat dans son pays avant d'entrer dans la carrière diplomatique. On lui doit un recueil de contes, *Au Tchad, sous les étoiles* (Présence Africaine, 1962) et surtout un romanet à tendance autobiographique, *Un enfant du Tchad* (SAGEREP, L'Afrique actuelle, Paris, 1967).

SEMBÈNE (Ousmane).

Né en 1923 à Ziguinchor (Sénégal), Ousmane Sembène est un autodidacte qui fut successivement ouvrier, soldat (deuxième guerre mondiale, en Europe), docker et responsable syndical, homme de lettres et producteur cinématographique. Ses romans sont *Le docker noir* (Debresse, 1956), *O Pays, mon beau peuple* ! (Le livre contemporain, Amiot-Dumont, 1957), *Les bouts de bois de Dieu* (Le livre contemporain, Amiot-Dumont, 1960) et *L'harmattan* (Présence Africaine, 1964). *Voltaïque* (Présence Africaine, 1962) est un recueil de nouvelles. *Vehi-Ciosane* (couronné au Festival des Arts Nègres de Dakar, 1966) et *Le mandat,* publiés en 1965 par Présence Africaine, sont de longues nouvelles.

SENGHOR (Léopold Sédar).

Né en 1906 à Joal (Sénégal), Léopold Sédar Senghor termina ses études en 1935 par l'obtention du titre d'agrégé de grammaire. Il enseigna en France jusqu'en 1945, puis fut élu député du Sénégal. Il est actuellement président de cette République. Ses principaux recueils poétiques ont été édités par les éditions du Seuil : *Chants d'ombre* (1945), *Hosties noires* (1948), *Ethiopiques* (1956), *Nocturnes* (1961). Le Seuil a également publié un recueil d'essais, de préfaces, de conférences et de discours, *Liberté I* (1964). Ses idées politiques ont été exprimées dans le recueil *Nation et voie africaine du socialisme* (Présence Africaine, 1961). *Les Chants pour Naett* furent publiés par Seghers en 1949. On trouvera tous les renseignements utiles sur la vie et l'œuvre de Senghor dans deux livres d'Armand Guibert intitulés tous deux *Léopold Sédar Senghor,* l'un publié chez Seghers (« Poètes d'aujourd'hui »), l'autre publié par Présence Africaine (collection « Approches »). Le numéro 3 de la collection « Littéraire africaine » des éditions Fernand Nathan lui est consacré. Enfin Le Seuil a réuni en un volume l'essentiel de son œuvre poétique (1964).

SISSOKO (Fily Dabo). 1900-1964.

Né à Horokoto (cercle de Bafoulabé, Mali), Sissoko fut instituteur de longues années durant. Leader du Parti Socialiste Progressiste, ce fut un homme politique important entre 1945 et 1958. On lui doit des œuvres curieuses telles que *Crayons et portraits* (sans lieu ni date) et *La savane rouge* (Presses universelles, Avignon, 1962). Ses poèmes ont été réunis sous le titre *Poèmes de l'Afrique Noire* et publiés par les éditions Debresse (1963).

TCH,CAYA (Gérald U'Tamsi).

Ce poète est né au Congo-Brazzaville vers 1930. Il exerce actuellement des fonctions culturelles à Paris pour le compte de son pays. Ses principaux recueils de poèmes sont *Feu de brousse* (éditions Bruno-Durocher, 1955), *Epitome* (S.N.E.D., Tunis, 1962), *Le ventre* (Présence Africaine, 1964).

TOURÉ (Sékou).

Né en 1922 à Faranah (Guinée), Sékou Touré fut employé aux P.T.T., mais se consacra à l'activité syndicale et politique dès 1945. Une partie de ses discours et rapports ont été publiés dans la collection « Leaders politiques » de Présence Africaine sous le titre *L'action du Parti Démocratique de Guinée et la lutte pour l'émancipation africaine* (1959) ; d'autres ont été imprimés à l'Imprimerie nationale de Conakry. Il préside le gouvernement guinéen depuis 1958.

Index des noms d'auteurs cités

Index des œuvres citées

Imprimerie Vagner, Nancy. — N° édition : 113. — Imprimé en France

TABLE DES MATIERES